EXCENTRIQUES

EXCENTRIQUES

Florence Müller / Éditions du Chêne

Sommaire

Avant-propos

L'excentrique, en forçant notre attention, en étonnant, en provoquant, cherche plus que d'autres le dialogue avec le monde. Il ne se voit jamais comme tel, mais répond plutôt à une nécessité intérieure à laquelle il ne peut se soustraire. L'excentricité suppose une vraie force de caractère dans la transgression des idées reçues et des coutumes, car son sujet joue dangereusement avec sa propre personne. L'excentricité contemporaine et passée offre l'image apparente de la frivolité et, derrière elle, la profondeur de démarches qui engagent courageusement toute une vie. Mais le message a souvent du mal à passer, le spectateur qui reste saisi d'effroi devant l'œuvre d'art vivante condamnera l'excentrique sans chercher à comprendre des signes sortant par définition de l'ordinaire !

L'excentricité interroge pourtant le bien-fondé de nos coutumes et de nos costumes, et favorise la création pure qui s'oppose à la mode en tant que système de normalisation du vêtement. Si, selon George Berkeley, « être, c'est être perçu ou percevoir », alors les excentriques tendraient à exister plus que les autres en se dégageant du néant insignifiant de la multitude. En revêtant des habits qui sortent de l'ordinaire et en les assumant dans la réalité quotidienne, l'excentrique donne corps à ses rêves, littéralement matérialise l'image fantasmatique de lui-même.

L'excentrique est un être unique, hors normes. Il est l'exception d'une époque, individualiste par essence. Mais il se multiplie aussi dans des mouvements qui utilisent la force du nombre pour s'exprimer. Enfin, le commun des mortels peut connaître l'expérience occasionnelle de l'excentricité, qui naît de circonstances particulières : fêtes, parades, vie nocturne... quand les barrières du temps et de l'espace social quotidien s'effacent, laissant un champ d'expression libre. C'est sous l'angle des comportements vestimentaires que l'excentricité sera mise en lumière depuis le XVIIIe siècle, dans un choix qui n'a que le mérite de faire exemple. Le sujet est d'autant plus vaste qu'il est subjectif et que l'excentricité, valeur qualitative, ne dépend que du regard qu'on lui porte.

Certains scientifiques britanniques assurent que la pratique de l'excentricité est un visa de longue vie. Le docteur David Weeks, neurophysiologiste au Royal Edinburgh Hospital, qui a étudié les excentriques pendant douze ans, déclarait en 1996 : « Non-conformity is healthier » (L'anti-conformisme est meilleur pour la santé). Il poursuivait en affirmant que les excentriques n'ont tout simplement pas besoin de médecins car ils sont moins stressés et plus heureux : « These are the only people who have vivid dreams and vivid visual imaginations when awake. They turn that visual imagination into original ideas. » (Ce sont les seuls à vivre leurs rêves, une fois réveillés. Ils convertissent leur imagination visuelle dans des idées originales) Que les esprits chagrins réfléchissent avant de condamner les originaux pour crime de ridicule ou de scandale, car ils passent sans doute à côté du secret d'une vie harmonieuse. Que les autres laissent éclater au grand jour leurs rêves autocensurés !

EXCENTRIQUE COLLECTIVEMENT

« On devrait tous être un peu invraisemblables. » *Oscar Wilde*

Sous la bannière du groupe

L'excentricité représente un formidable étendard qui donne sa cohésion à certains mouvements dans leur tentative de modifier la marche du temps. Ces messages vivants offerts par des groupes extravagants décochent des flèches dont la portée dépasse le simple ébahissement du badaud. Dans ces pointes taillées à la mesure du conformisme ambiant, il y a la promesse d'un monde meilleur, la nostalgie d'une époque mythique révolue, le rejet d'un état présent pour un futur idéal ou le refus nihiliste de la réalité. Les costumes loufoques et les gestes bizarres dissimulent en coulisse des engagements politiques en gestation, des bouleversements à venir de la société.
Les manifestations groupées d'excentricité traversent l'Histoire en météores dans la constellation des faits de société. Petits maîtres, macaronis, incroyables, dandys, romantiques, esthètes, zazous, hippies, punks, s'illustrent dans le temps rapide de la jeunesse. Les groupes constitués dans l'urgence de la rage de vivre se dissolvent aussi soudainement qu'ils sont apparus. Leurs membres refusent parfois d'abandonner l'habit des croyances juvéniles. Mais, une fois l'éclair du mouvement évanoui dans la marche implacable du temps, ils ne sont plus que l'ombre d'eux-mêmes, pitoyables pantins… Les groupes excentriques sont éphémères, et leur paraître dépasse par sa force suggestive son contenu idéologique. C'est pourquoi l'Histoire ne retient de leur existence que leur apparence ridiculisée par leurs contemporains. Pourtant, la portée de leurs engagements va bien au-delà : sortes de passeurs d'un état de société à un autre, ils dénoncent un présent obsolète et annoncent le futur immédiat.

Au XVIIIe SIÈCLE

Petits maîtres, macaronis, frivolités royales

Les petits maîtres à partir du XVIIe siècle, puis les macaronis anglais au XVIIIe, posent crânement sur leurs talons hauts et sous la pyramide de leur perruque rouge devant le miroir affecté de l'aristocratie. Parmi les illustres poudrés à l'extrême, notons l'abbé Delille, qui portera des perruques roses jusqu'à un âge canonique. Le prince Raudnitz exigeait une couleur plus rare pour le poudrage de la sienne : quatre valets projetaient simultanément une nuance différente sur son auguste chef. Lord Scarborough, pour sa part, n'employait pas moins de six friseurs français en 1798. Lord Effingham n'en faisait travailler que cinq. En 1787, les garde-robes des petits maîtres français recelaient des gilets à la douzaine, à la centaine : « On les brodait magnifiquement avec des sujets de chasse et des combats de cavalerie, même des combats de mer. C'était extravagant de cherté. Les boutons d'habit étaient non moins bizarres ; ils représentaient tantôt des portraits, tels que les rois de France, les douze césars, quelquefois des miniatures de famille ; deux ou trois petits maîtres y mirent les portraits de leurs maîtresses », raconte la baronne d'Oberkirch.

L'esprit libertin, antireligieux et antiabsolutiste exprimé dans ces outrances dérisoires des signes de privilège, porte en germe l'abolition de l'Ancien Régime. Mais cet esprit prérévolutionnaire s'exerce plus paradoxalement au sein même de la Cour. On connaît le goût de Marie-Antoinette pour la parure. Encouragée par ses marchandes de toilettes, elle fait et défait les modes à un rythme vertigineux. Les nouveautés promues par la première dame du royaume sont copiées religieusement, comme le sont de nos jours les images des top models dans les magazines. Mme Campan rapporte : « Le bruit général fut que la reine ruinerait toutes les dames françaises. » Cependant, l'association de dépenses somptuaires et d'une distinction absolue est nécessaire au maintien du culte de la majesté royale. L'élégance supérieure de la reine est protégée du commun par son coût prohibitif. Mme de Genlis expose dans ses *Mémoires* que « le luxe avait de la grandeur », précisément « parce qu'il était aussi peu frivole qu'il peut l'être et que, n'ayant rien de faux, les fortunes médiocres n'y pouvaient atteindre ; alors il était une distinction ». Mariée en 1770 au futur roi de France Louis XVI, la jeune femme s'empare des nouveautés les plus

Page 8-9
Bal de folles à Riga, en Lettonie. Vers 1928.

Page précédente
Deux merveilleuses. Sous le Directoire, elles aimaient porter des robes de mousseline transparente, des perruque à l'antique ou des casques accompagnés de longs voiles de soie en guise de voilette. Vers 1795-1800.

Page de droite en haut
Incroyables et merveilleuses à la promenade, vers 1800-1810. Le style caricatural lancé par la jeunesse thermidorienne se prolonge sous le premier Empire : capotes à passes profondes dissimulant les cheveux courts des femmes, hauts cols d'habit, de gilet et de chemise masquant le visage des hommes. Un détail signe l'attitude : le mouchoir qui dépasse de la poche.

Page de droite en bas
Incroyables et merveilleuses, vers 1795. La jeunesse parade au Palais Royal, armée d'accessoires caractéristiques : chapeau en bateau, bicorne, lorgnon, cravate « écrouellique » pour les inconcevables, coiffure à l'ingénue et cothurnes lacées à la grecque pour leurs compagnes. Gouache de Lesueur.

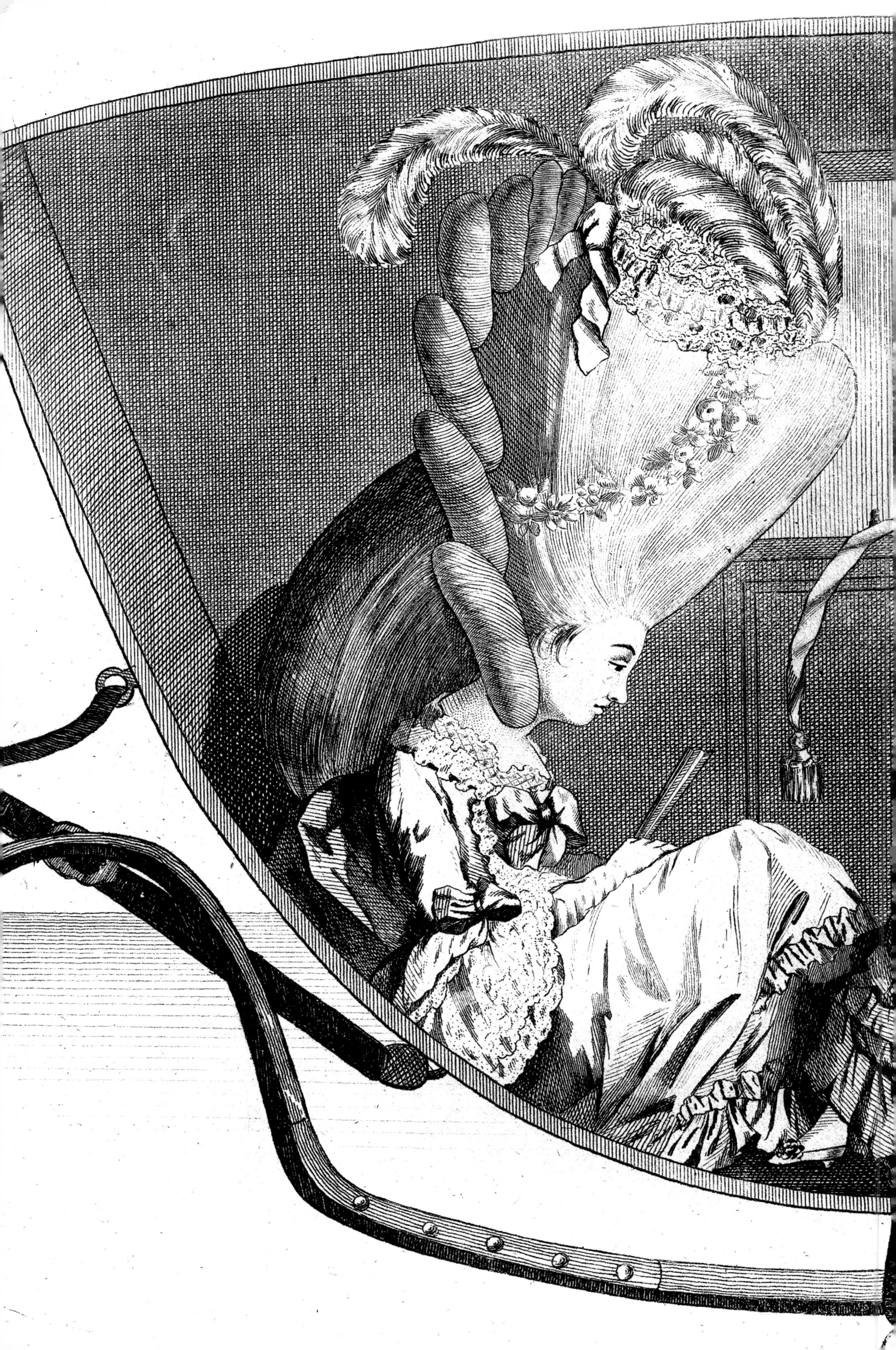

SUBSCR

folles, comme le « pouf au sentiment ». Dans ses *Mémoires*, la baronne d'Oberkirch qualifie d'« incroyable d'extravagance » cette coiffure qui incorpore des personnes ou des objets : « Ainsi le portrait de sa fille, de sa mère, l'image de son serin, de son chien, etc., tout cela garni des cheveux de son père ou d'un ami de cœur. La princesse, poursuit-elle, fit l'espièglerie de porter tout un jour sur l'oreille une figure de femme tenant un trousseau de clefs qu'elle assura être Mme Hendel. Celle-ci se trouva très ressemblante et faillit en mourir de joie et d'orgueil. »
Après avoir mené le principe de distinction royale à son point culminant, la reine abandonne pour finir le somptueux et le clinquant pour une simplicité préfigurant la mode révolutionnaire. À la première partie du règne, dominée par les perruques géantes (supports de plumes et de fabriques bizarres), que sa mère, l'impératrice Marie-Thérèse d'Autriche, lui reproche d'ailleurs comme la marque des favorites, succède en 1781 l'époque de la coiffure dite « à l'enfant », la chevelure tombant librement en boucles sur les épaules royales. Plus visionnaire encore, la « chemise à la reine » se place en tête de la généalogie des tuniques gréco-romaines, dont les femmes raffoleront pendant près de trente ans. Inspirée vraisemblablement par les robes de gaze blanche des dames créoles, sa vogue fait suite à la découverte des villes antiques d'Herculanum et de Pompéi. Exposé au Salon de 1783, le portrait de la reine dans cette tenue provoque un véritable scandale. On murmure que la reine est représentée dans un déshabillé qui ne convient qu'à la partie la plus intime du palais. Ariane James-Sarazin montre que, en substituant au symbole de dignité royale une image où le vêtement réduit à sa plus simple expression met en valeur la personnalité d'une femme bien réelle, la portraitiste Vigée-Lebrun aurait « consommé en peinture le divorce du peuple avec sa reine : dépouillée de son enveloppe sacrale, la personne royale perdait toute légitimité ».

La contre-révolution des inconcevables

L'apparition des incroyables et des merveilleuses marque la fin de la révolution. Encouragée par la victoire thermidorienne de 1794, cette jeunesse dorée qui appartient à la bourgeoisie aisée rejette les excès de la Terreur, étale au grand jour sa nostalgie de l'Ancien Régime et d'une société raffinée et policée. Comme l'a montré Patrice Bollon, ces muscadins, plutôt réactionnaires, mènent une guerre de symboles et opposent au règne de la vertu instauré par Robespierre le retour à la volupté. Selon les frères Goncourt, ils cherchent à rétablir « le pays des jeunes gens et des jeunes choses, le pays des mœurs légères, des gaies compagnies, des récréations permises, des habits dont on parle, des femmes dont on cause, des bals qui font émeute et des amours qui font scandale ». Royalistes ou républicains, les muscadins placent leurs désirs avant leurs préférences, leurs haines avant leurs opinions.
Repérés dès 1793 défilant sur les Champs-Élysées au slogan de « Au diable Robespierre », les inconcevables refusent de suivre l'armée qui doit affronter la révolte vendéenne. Munis d'épaisses bésicles, ils se protègent de la conscription par une prétendue myopie. Avec la chute du Tyran, on les voit parader au Palais-Royal de leur démarche sautillante, parlant le « garatisme » en omettant les « r » à la manière anglaise. Sous les ordres de l'orateur Fréron, ils sont enrôlés dans une sorte de milice de la Convention thermidorienne. Armés de leur rosse-coquin, ils bastonnent les « té'o'istes » et les « anth'opophages », obtiennent la fermeture du club des Jacobins, brisent les statues des révolutionnaires et font annuler le projet de « panthéonisation » de Marat, le « Prince des égorgeurs ». Afin de se différencier des émigrés qui portent le collet noir en signe de deuil de la royauté, ils adoptent le collet rouge et les modes à l'antique comme la coiffure à la Brutus. Les « me'veilleuses », Mme Récamier, Mme Tallien, Mlle Georges ou Joséphine Bonaparte, risquent la pneumonie en voilant à peine leur nudité de tuniques de gaze blanche à la vestale, cerclent leurs jambes

Page précédente
« Le vis-à-vis ou la Cage aux femmes ». 1776. Gravure anglaise de Mary Darly, Bibliothèque nationale, Paris. De gigantesques perruques obligent deux contemporaines de Marie-Antoinette à se tenir accroupies dans leur carrosse.

d'anneaux d'or, se chaussent de cothurnes à lacets. Elles se font raser les cheveux à la Titus ou en « porc-épic », en conservant parfois quelques bouclettes à la Caracalla ou une crête sur le dessus du crâne. Les dames anglaises, qui résistent encore à la mode à l'antique française, céderont devant la grâce de Mme Récamier apparaissant ainsi parée en 1802 à Kensington Gardens.

Mathieu Molé, ancien incroyable devenu ministre de Napoléon, note dans ses *Souvenirs* de 1795 l'importance de la tenue au détriment du sérieux de l'engagement. Ce costume « consistait dans une cadenette, ou tresse de cheveux, relevée derrière la tête avec un peigne, un collet et des parements verts ou noirs sur un habit droit à taille longue et large, connu sous le nom d'"habit quarré". Un bâton noueux à la main et des pistolets dans chaque poche, tous les jours on se rendait ainsi vêtu au Palais-Royal. [...] On se rendait compte des nouvelles de la veille, des bruits qui circulaient ; on se communiquait ses craintes, ses projets pour l'avenir, mais cet avenir ne s'étendait jamais au lendemain, et les projets ne dépassaient pas la dispersion des groupes jacobins sur la terrasse des Tuileries ou leur expulsion des tribunes de la Convention. [...] Cette jeunesse fière du rôle qu'on lui faisait jouer, bien plus remuante et présomptueuse que vindicative, se dispersa bien plus aisément qu'elle ne s'était réunie le jour où la Convention le voulut ». Les excentricités vestimentaires vont se prolonger jusqu'au Consulat. Mme Tallien paraît à l'Opéra pendant l'hiver 1799 en nymphe chasseresse vêtue d'une tunique aux genoux, les pieds nus bagués d'or dans des sandales pourpres. Elle est sermonnée par Joséphine de Beauharnais, qui lui rappelle, de la part du Premier consul, que le temps de la fable est passé et que le règne de l'Histoire commence... Mais les excentricités de la jeunesse thermidorienne engendreront les modes de l'Empire. Les femmes conserveront les tuniques blanches à taille haute et des souliers plats. La philosophie de l'élégance des dandys reprendra le principe du négligé étudié des incroyables.

Ci-dessus
Incroyables, vers 1795.
Gravure de Carle Vernet. Tout dans leur mise prend le contre-pied de la tenue « peuple » des sans-culottes, en exagérant l'apparence aristocratique : cheveux longs poudrés en oreille de chien, biscorne posé en bataille, habit chiffonné et étriqué les faisant paraître bossus, basques déchirées, culotte donnant l'illusion de genoux cagneux, redingote à dix-sept boutons évoquant Louis XVII, gilet à fleurs de lys à basques écourtées réduisant la hauteur du buste, immense cravate « écrouellique » faisant un cou de goitreux, boucles d'oreilles, bicorne à cocarde blanche.

« Le plaisir aristocratique de déplaire. » *Charles Baudelaire*

L'ASCÈSE DU DANDYSME

Le dandysme établit un système de contrôle de l'apparence – véritable ascèse du paraître – inconnu jusque-là. Le dandysme tel que l'a « inventé » George Bryan Brummell est inimitable et s'oppose complètement au système de la mode. Il est contemporain d'une occultation progressive de la mode masculine dans les magazines. Le dandy, sûr de ses goûts, n'admet aucun conseil de son tailleur, tout en exigeant de lui la perfection dans l'exécution de ses commandes. L'art du tailleur y gagne en qualité, mais y perd en créativité. Le mot dandy apparaît en Angleterre en 1817, et en France vers 1820, pour dénoncer et condamner un être superficiel, extravagant et efféminé. Son étymologie reste mystérieuse. Son interprétation comme un dérivé soit du mot anglais *dandelion* (pissenlit), soit du français dandin semble fantaisiste. En 1830, Balzac le voit ainsi dans son *Traité de la vie élégante* : « En se faisant dandy, un homme devient un meuble de boudoir, un mannequin extrêmement ingénieux qui peut se poser sur un cheval ou sur un canapé, qui mord ou tète habilement le bout de sa canne. Mais un être pensant ?... Jamais. » Le dandy, être désespéré, misanthrope et nihiliste, vit et meurt jeune ou, après une vieillesse misérable, disparaît oublié de tous. À moins qu'il ne finisse comme les dandys observés par le docteur Véron : « Que j'en ai connu de ces jeunes dissipateurs dévorant en une année, quelquefois dans un trimestre, une fortune paternelle acquise par trente ans de travail et qui, après cette courte ivresse de vanités, disent adieu, rentrent chez eux, se pendent ou se brûlent la cervelle. » Balzac dote son Henri de Marsay de *la Fille aux yeux d'or* d'un épouvantable vice : « Il ne croyait ni aux hommes ni aux femmes, ni à Dieu ni au diable. » Brummell aurait confié à lady Hester Stanhope que le dandysme était le seul moyen de « se distinguer du troupeau des hommes, qu'il avait en très grand mépris ».

Beau Brummell ou la perfection incarnée

Le futur « Roi des dandys » a la chance d'être le fils du secrétaire d'un grand seigneur, lord North. Grâce aux appointements paternels, Brummell fait ses études à Eton et fréquente la haute société. Très jeune, il se distingue par un extrême snobisme, une attitude froide et détachée de tout : il dédaigne ses études ou la pratique du sport, qui risquerait de déranger sa tenue. En 1794, âgé de seize ans, il devient le favori du futur George IV, qui le nomme officier d'un des premiers régiments du royaume. Loin de s'en enorgueillir, Brummell affecte de ne pas reconnaître son

Ci-contre
« Lord Ribblesdale », par John Singer Sargent. 1902. Huile sur toile. 253 x 140 cm. Collection Tate Gallery, Londres. Le principe du négligé étudié promu par le dandysme deviendra une des caractéristiques classiques de l'élégance masculine.

propre peloton. Le jour où son régiment doit quitter Londres, il préfère démissionner plutôt que de le suivre dans une obscure ville de province. Il est appelé à d'autres devoirs, ceux de la mondanité.

C'est alors que son biographe attentif, le capitaine Jesse, lui attribue une véritable révolution dans l'habillement. Brummell réinvente l'élégance en démodant le débraillé et le mépris pour la parure des contemporains de Fox, en instaurant les notions d'hygiène et de propreté du linge, l'usage de l'amidon et du repassage fin, les habits de coupe parfaite et sobre. Devenu le dieu des salons fashionables, il les fascine par son impassibilité, son flegme qui frise souvent la plus extrême insolence. À un certain bourgeois qui l'invite à dîner il répond : « Je veux bien mais à condition que personne ne le saura. » À un ami qui se moque de ses échecs matrimoniaux : « Pouvais-je faire autre chose, cher ami, que de rompre ? J'avais découvert que lady Mary mangeait du chou ! » Et à un ami prêteur qui ose lui réclamer son argent : « L'autre jour, quand vous passiez à la porte du club, je vous ai fait signe de la main et je vous ai dit "bonjour Jimmy". Ne sommes-nous pas quittes ? » Les imprudences verbales du favori causeront finalement sa disgrâce, avant que les dépenses de ce train de vie exigeant consacré à l'autel de l'apparence le conduisent à la faillite. Virginia Woolf attribue la chute du prince des fashionables au retour à la paix, à la fin de l'Empire. Après la bataille de Waterloo, les hordes de soldats rendus à la vie civile qui fréquentent gaillardement les salles de jeu entraînent Brummell dans une compétition acharnée. Il doit s'exiler en France pour échapper à ses créanciers et finit sa vie misérablement et à moitié fou. Le capitaine Jesse rapporte que, après qu'il eut fait de la prison, puis fut devenu amnésique et impotent, on vint en 1837 pour l'emmener de force à l'hospice du Bon Sauveur. Il était vêtu d'une robe de chambre en loques. Retrouvant un sursaut de lucidité alors qu'il croisait une connaissance sur le chemin de l'hospice, il dit à ses porteurs : « Je ne l'ai pas salué, car je n'aime pas être vu en déshabillé. » Mais le bref temps de sa gloire suffira à construire la légende d'un demi-dieu, vénéré par plusieurs générations d'apprentis dandys.

Le dandysme selon Brummell ne doit jamais révéler l'effort, même si sa pratique est une ascèse, son cérémonial une religion. On ne doit traiter gravement que les choses les plus futiles : l'élégance, les mondanités, le paraître établi comme un art. L'attitude compte autant que le vêtement. L'élégance est basée sur une « modération passionnée », car « pour être bien mis il ne faut pas être remarqué ». Le raffinement s'attache aux détails : perfection de la coupe de l'habit (réalisé par les tailleurs Meyer ou Weston, sur New Bond Street), déjà un peu usé par le valet de chambre, blancheur parfaite du linge, brillant des souliers, traités selon la légende au champagne éventé et au miel. Dans la journée, Brummell revêt une redingote couleur tabac à col de velours plus foncé, un gilet en cachemire, soie ou coton blanc, un pantalon bleu foncé, des

Ci-dessus
George Brummell, dit « le Beau Brummell ». Vers 1795-1800. Un des rares dessins donnant une idée de l'attitude du roi des dandys : un air fat et insolent exprimant le dédain pour l'espèce humaine, une mise irréprochable symbolisée par une cravate nouée à la perfection. L'auteur de l'ouvrage *Le Dandysme et George Brummell* (Mancel, 1844, Caen) trouve du génie à son modèle, qui « fut une puissance si intellectuelle qu'il régna encore plus par les airs que par les mots. Son action sur les autres était plus immédiate que celle qui s'exerce uniquement par le langage. Il la produisait par l'intonation, le regard, le geste, l'intention transparente, le silence même ».

Ci-contre à gauche
« Charlie », caricature du Earl of Dunmore. Dessin signé Spy, publié dans le magazine *Vanity Fair* du 14 décembre 1878, à Londres.

Ci-contre à droite
« Les Anglais à Paris en 1814 », série de gravures.

bottes pointues, un chapeau noir et des gants de daim primevère. Pour le soir, il les troque contre un habit bleu à col de velours, un gilet de daim, un pantalon et des bottines noires, un anneau et une chaîne de montre en or vénitienne, un gibus et des gants.

Quoi de plus parfaitement anodin, et pourtant le Tout-Londres de la *fashion* se rend à sa toilette, qui dure deux heures, comme à l'église, s'efforçant de comprendre le miracle de sa mise et de lui voler le secret de l'art de nouer sa cravate, son chef-d'œuvre et le point d'orgue de sa tenue. Le sommet de la vêture est donc un accessoire, mais qui exige un savoir-faire, un tour de main de génie. C'est le symbole de cette élégance hors d'atteinte, inimitable, qui caractérise le Beau.

Généalogie du dandysme

Apparu en Angleterre, le dandysme traverse la Manche à la fin de la Révolution et s'installe en France à la chute de l'Empire. Si l'on en croit Roger de Beauvoir, il a du mal à s'acclimater à l'Italie. Dans *Aventurières et courtisanes*, publié en 1856, le héros Anacharsis se rend à Milan persuadé d'impressionner la société avec ses manières de dandy parisien. Mais tous ses efforts sont inutiles au cours d'une soirée où « tout le desservit dans l'esprit de ses auditeurs, jusqu'au nœud de sa cravate. Sa conversation guindée parut des plus fades, opposée à cette pétulance italienne qui remplissait le salon ». Le dandysme continental s'épanouit dans l'observation de spécimens britanniques, jugés exotiques par une société habituée aux rudes mœurs

Ci-dessus
« Les Anglais à Paris en 1814 ». Dandy en redingote-habit et pantalon à sous pieds.

Ci-contre
Oscar Wilde, étudiant, à l'âge de vingt et un an. 1875. Collection Guillot de Saix.

« Le dandy est tête froide et main froide. » *Jean Cocteau*

des anciens soldats de l'Empereur. Lady Morgan s'amuse ainsi en 1816 du regard porté à un jeune dandy anglais pénétrant dans le salon de la princesse de Volkonski : « L'un de ces "jeunes trafiquants de mode", récemment arrivé à Paris, apparut sur le seuil. Il portait sur son visage le contentement de sa toilette et toisait les invités au travers de son monocle. Il me fit l'honneur de me reconnaître. Il s'approcha de moi et, en bâillant à moitié et sans articuler les mots, me posa quelques questions. »

Le dandysme se développe au cours d'une époque de transition, alors que la démocratie n'est pas encore toute-puissante ni l'aristocratie complètement abattue. Le dandysme est, selon Henriette Levillain, « la formule sociale la plus attractive proposée à une nouvelle élite privée de l'élégance "naturelle" de la naissance et de la fortune ». Avec la Révolution, la société compte désormais des milieux d'origines diverses. Le Paris des privilégiés se divise en quatre quartiers : le faubourg Saint-Germain de la vieille aristocratie fortunée, le Marais de la noblesse austère, le faubourg Saint-Honoré et la chaussée d'Antin, fréquentés par le monde « nouveau riche » de la finance, de l'industrie et des arts.

Le paraître du nouveau snob s'oppose à l'être du bien né et de l'homme fortuné. Alors que le Bourgeois gentilhomme se ridiculisait en singeant les aristocrates, le dandy s'invente ses propres codes d'apparence qui relèguent les plumes et les falbalas de la noblesse au rang de pitoyables accessoires de théâtre. Par son comportement fondé sur la sobriété du costume et le flegme de l'esprit, il ravale la vieille noblesse au rang de figurante d'une comédie du clinquant. Le faste d'antan n'est plus que synonyme de vulgarité. Le dandy méprise l'argent qu'il ne possède pas, place l'oisiveté en modèle d'une vie dédiée au luxe et au rituel mondain. Au privilège de la naissance et de la fortune, le dandysme oppose le snobisme de celui qui s'affirme supérieur aux nobles par la seule force de son caractère. L'excentricité du dandy consiste à se fondre dans le système mondain aristocratique pour mieux s'en distinguer et en saper les fondements.

Les héritiers

Paradoxalement, Brummell, qui se voulait unique, engendrera une descendance aux ramifications multiples. L'histoire du dandysme pourrait se décomposer en trois phases : invention par Brummell, développement d'un phénomène de mode vers 1830-1840, puis création d'un modèle déifié par Baudelaire ou Barbey d'Aurevilly, suscitant des vocations plus ou moins fidèles à l'original. Les auteurs de la glose brummellienne compliquent l'approche du sujet par la pratique personnelle du dandysme, plus ou moins respectueuse du dogme. À commencer par son successeur immédiat, le ravissant comte d'Orsay, « Cupidon déchaîné » selon Byron, trop fougueux et trop séduisant pour ressembler à Brummell (un vrai dandy plaît en déplaisant). Le jeune Français pouvait se flatter d'avoir lancé le collier de barbe et, selon la légende, la veste « paletot » (qu'il aurait empruntée à un matelot un jour de pluie), modèle du vêtement d'extérieur négligé jusqu'à la fin du siècle. Son pantalon confectionné dans de la toile à canevas d'emballage lança la mode des inexpressibles. Autre titre de gloire et cas unique, il rendit la pauvreté fashionable. Totalement ruiné à la fin de sa vie, le dandy, reconverti en sculpteur, recevait le beau monde dans une pièce unique qui allait contribuer à la vogue des ateliers d'artiste. Sa compagne, lady Blessington, avait préféré se suicider plutôt que de vivre privée de luxe.

Le personnage de Boni de Castellane, « sanglé dans son habit noir, la tête altière, la canne folle, dandy provocant et insolent avec un perpétuel haussement d'épaules, les coudes au corps et le mollet fringant d'Achille », aurait paru à Brummell le comble de l'affectation. Il aurait également condamné les dandys du XXe siècle, leurs mises trop voyantes et « travaillées », comme celle de Bill Pallot, l'antiquaire parisien spécialiste du mobilier du XVIIIe siècle. Ses chemises bleues à col et poignets blancs, ses complets trois pièces à pantalon étroit, ses chaînes de montre en or, auraient été dénoncés comme panoplie sentant le neuf et la sueur du maître tailleur. Ces marginaux

de l'élégance n'ont pas la vertu d'un modèle à la suprématie indiscutable. Face à l'idéal contemporain laborieux le journaliste Ariel Wizman, adepte du dilettantisme, habillé de casquettes et de costumes 1960, prône la pratique de la mondanité comme un humanisme : « Nous cherchons à voir jusqu'où on peut rester soi-même dans l'entreprise. On veut opposer notre instinct de survie à un monde complètement quadrillé par des règles sur lesquelles plus personne n'a aucun pouvoir. »

Chaque nouvelle génération de dandys apporte des nuances dans l'interprétation de la doctrine, mais toutes partagent le goût de l'indépendance, de l'ironie, de l'oisiveté et du dilettantisme. Les dandys célèbres se distinguent néanmoins de la masse des imitateurs, comme le très méchant Henri Seymour, qui disait à sa maîtresse : « Chère belle, mettez donc mes bottes à la porte... C'est un service qu'elles vous rendront un de ces jours », ou le dispendieux Eugène Sue, qui se faisait porter son courrier sur un plateau d'argent. L'écrivain prétendait à un dandysme dépravé, à l'image des personnages de ses romans ; en fait, c'était, selon le capitaine Gronow, un « parfait homme du monde », coiffé d'un chapeau lustré à larges bords et de pantalons collants de couleur claire, un style de bon goût convenant aux manières exquises d'un gentilhomme, sans obséquiosité. Il menait dans son château de Sologne une vie de Sardanapale « où il aurait été servi par des femmes plus belles les unes que les autres, et de toutes les couleurs ». Quant à Balzac, il aurait eu « l'apparence négligée qui caractérise généralement les hommes de lettres français. Ses vêtements étaient du plus mauvais goût : il portait des pierreries sur un plastron négligé et des bagues en diamants à ses doigts sales ». Barbey d'Aurevilly, qui pourtant idolâtre Brummell, est loin de lui ressembler. Vers 1830, il apparaît sanglé dans une redingote à jupe tuyautée et un gilet de moire verte ou bleu ciel, avec chemise à jabot de dentelle, pantalon collant blanc à bande de satin or ou rose, large chapeau doublé de rouge, les ongles longs et noirs de la teinture de ses cheveux, protégé l'hiver par un manteau de roulier. Il est fier de la finesse de sa taille, qui peut rivaliser avec celles de ses maîtresses, ou de lancer à un ami admiratif : « Monsieur, si je communiais, j'éclaterais. » Baudelaire évoque en 1846 sa pratique personnelle du dandysme : « C'est par le loisir que j'ai, en partie, grandi. À mon grand détriment car le loisir sans fortune augmente les dettes, les avanies résultant des dettes. Mais à mon grand profit relativement à la sensibilité, à la méditation, et à la faculté du dandysme et du dilettantisme. Les autres hommes de lettres sont, pour la plupart, de vils piocheurs très ignorants. » Certains restent fidèles à la tradition, comme Théophile Gautier, qui écrit en 1858 : « Point d'or, ni de broderies, ni de tons voyants ; rien de théâtral : il faut qu'on sente qu'un homme est bien mis sans se rappeler plus tard aucun détail de son vêtement. La finesse du drap, la perfection de la coupe, le fini de la façon, et surtout le bien-porté de tout cela constituent la distinction. »

Les lions et les lionnes, curiosités exotiques

Au dandy succède l'espèce du lion, qui ne s'en distingue que par des nuances difficilement perceptibles avec le recul. Le lion se reconnaît aussi à un détail, à un accessoire. D'après Balzac, c'est le lorgnon, « tenu sans le secours des mains, par la contraction de la joue et de l'arcade sourcilière », qui ferait le lion, en remplacement de la cravate du dandy. L'écrivain assure que le vocable au féminin proviendrait d'une chanson d'Alfred de Musset : « Avez-vous vu dans Barcelone... C'est ma maîtresse et ma lionne. » D'après Littré, les lions de la Tour de Londres, que l'on allait voir par curiosité, donnèrent leur nom à « un individu que la nature a doué de goûts excentriques ». Anne Martin-Fugier voit le lion comme un objet de curiosité, qui se rend intéressant par sa bizarrerie ou son exotisme. Un dandy espère forcément être un lion. La lionne, avant de devenir la demi-mondaine du second Empire, est une femme singulière parce qu'elle pratique les sports, tire au pistolet, participe aux courses de chevaux et fume en public des cigares de La Havane.

Ci-dessus à gauche
Eugène Sue. Panthéon Charivarique.
« Sur la mer littéraire orageuse parfois,
En habile marin navigue Eugène Sue.
Sans l'arrêter jamais le critique déçu,
Voit sa plume filer un succès tous les mois. »
Après avoir beaucoup voyagé entre vingt et un et vingt-cinq ans sur un navire d'état en qualité de chirurgien chef, Eugène Sue devint un dandy parisien et débuta en littérature avec des romans maritimes. Vers 1841-1850. Lithographie de Benjamin Roubaud, dit Benjamin.

Ci-dessus au centre
Jules Barbey d'Aurevilly. L'écrivain s'engagea dans un dandysme aristocratique en réaction contre la médiocrité d'un siècle bourgeois et s'habilla de manière extravagante jusqu'à la fin de sa vie. Vers 1880-1889. Gravure d'Henri Thiriat.

Ci-dessus à droite
Ariel Wizman, animateur de télévision, ou le dandysme d'aujourd'hui.

« En Angleterre, l'état social et la Constitution (la vraie Constitution, celle qui s'exprime par des mœurs) laisseront longtemps encore une place aux héritiers de Sheridan, de Brummel et de Byron, si toutefois il s'en présente qui en soient dignes. »
Charles Baudelaire

Sublimités romantiques contre banalités bourgeoises

Le romantisme recouvre toute cette époque qui voit défiler à Paris, au Palais-Royal puis sur les Boulevards, les dandys, les fashionables, les lions, les lionnes. Ce grand mouvement artistique et intellectuel connaît ses moments de gloire vers 1830-1840. Dès 1826, Victor Hugo proclame « la liberté dans l'art » dans sa préface des *Odes et Ballades*. La sensibilité, l'imagination, l'individualisme, s'opposent à la raison des classiques. De nombreux auteurs s'adonnent au récit excentrique, comme Balzac, qui place dans sa *Physiologie du mariage* deux pages comportant des signes typographiques ne formant aucun mot identifiable, ou Alphonse Karr, qui couvre des pages entières d'« etc. ». À l'origine, le romantisme se confond avec l'anglomanie : lady Morgan remarque que « tout ce qui est anglais est maintenant en faveur à Paris et réputé romantique ». Si Brummell fonde le snobisme anglais, la littérature de Walter Scott et la poésie de lord Byron contribuent au goût pour le romantisme anglais... qu'ils incarnent, avec d'autres poètes du temps, car ils connaissent des destins tragiques. Figures maudites qui touchent à la folie, comme William Cowper, Christopher Smart, John Claire ou William Blake, ou qui meurent jeunes, comme Chatterton, Keats, Byron et Shelley. Lord Byron en est le modèle absolu. L'auteur du *Pèlerinage de Childe Harold* en 1812 ne se contente pas d'écrire dans le style de la Renaissance, il vit réellement son anticonformisme, défiant la moralité en pratiquant l'inceste et l'homosexualité. La reine Victoria instaurera une loi interdisant l'homosexualité sans veiller à y inclure le saphisme, dont elle ne peut imaginer qu'il existe ! Oscar Wilde, accusé de sodomie en 1895, fera les frais de cette loi en passant deux années au bagne.

Les excès des romantiques

Le romantisme se cristallise autour de la bataille d'Hernani en 1830. Pendant les entractes de la pièce, des scènes de pugilat opposent les partisans de Victor Hugo en costumes extraordinaires et les « bourgeois ». Mais, dès 1822, une parenté entre dandysme et romantisme s'esquisse à travers le portrait d'un dandy brossé par Chateaubriand dans ses *Mémoires d'outre-tombe* : « Il devait offrir au premier coup d'œil l'image d'un homme malheureux et malade ; il devait avoir quelque chose de négligé dans sa personne, la barbe non pas entière, non pas rasée, mais grandie en un moment par surprise, par oubli, pendant les préoccupations du désespoir ; mèches de cheveux

Ci-contre
George Gordon, lord Byron, par T. Phillips, début XIXe siècle. Le célèbre poète anglais, fils d'un militaire excentrique surnommé « Jack le Fou », mena une vie licencieuse. L'auteur du *Pèlerinage de Childe Harold*, inspiré d'un voyage dans le Levant et en Espagne entre 1809 et 1811, est ici habillé à l'orientale.

au vent, regard profond, sublime, égaré, fatal, lèvres contractées en dédain de l'espèce humaine ; cœur ennuyé, byronien, noyé dans le dégoût et le mystère de l'être… » Les jeunes romantiques pratiquent le spleen et le désespoir comme élixir de beauté, et les expriment par des coiffures noires échevelées à la Othello, des barbes à la Méphisto, un teint pâle et des yeux cernés obtenus par des crèmes teintées en verdâtre, des nuits blanches répétées et des régimes sans viande rouge, remplacée par du jus de citron ou du vinaigre.

La mode troubadour et son goût nostalgique pour les temps héroïques de la féodalité a suivi le retour à la monarchie instaurée par la Restauration. À la cour de Charles X se distingue la piquante duchesse de Berry, à qui on attribue la mode des fameuses manches « à gigot », à la manière des costumes de la Renaissance. Avec ses manières désinvoltes et irrespectueuses de l'étiquette, son goût pour les bals et le théâtre, elle apportait à cette cour austère un souffle de liberté. Elle lancera la mode des bains de mer, jugés par la comtesse d'Agoult : « aussi malséants que possible », et osera affronter les lorgnettes masculines, qui suivaient ses ébats nautiques sur la plage de Dieppe. La princesse était affublée d'un pantalon, d'un sarrau de laine noire et d'une coiffe de taffetas ciré. Un baigneur la balançait dans la mer, tête la première dans un plongeon peu compatible avec la dignité de son rang.

Le succès de *Notre-Dame de Paris* de Victor Hugo apporte la mode des souliers à la poulaine, le châle Esmeralda, les coiffures à la Isabeau de Bavière ou à la Agnès Sorel. La Renaissance, quant à elle, inspire les coiffures à la Belle Ferronnière, en bandeau retenu par un lien orné d'une perle placée au milieu du front. Écœurés par l'ennui bourgeois qui a gagné l'époque Louis-Philippe, les romantiques vivent la bohème et s'échappent en imagination d'un monde trop commun.

En 1839, Chateaubriand révise son portrait du jeune fashionable : « Le dandy doit avoir un air conquérant, léger, insolent ; il doit soigner sa toilette, porter des moustaches ou une barbe taillée en rond comme la fraise de la reine Élisabeth, ou comme le disque radieux du soleil ; il décèle la fière indépendance de son caractère en gardant son chapeau sur sa tête, en se roulant sur les sofas, en allongeant ses bottes au nez des ladies assises en admiration sur des chaises devant lui ; il monte à cheval avec une canne qu'il porte comme un cierge, indifférent au cheval qui est entre ses jambes par hasard… »

Ci-dessus
« Grand chemin de la postérité », caricature. Sous la bannière « Le laid c'est le beau », Victor Hugo conduit la famille des romantiques : Théophile Gautier, Alphonse de Lamartine, Eugène Sue, Alexandre Dumas, Honoré de Balzac, Alfred de Vigny, etc. 1842. Lith. de Benjamin Roubaud, dit Benjamin.

Page de droite
Alexandre Dumas, dit Dumas fils. L'auteur de la *Dame aux camélias* affiche le style négligé d'une ample blouse et d'un pantalon entonnoir. Vers 1860-1870, phot. Beuque.

Réformistes du vêtement

Vêtement rationnel

Au premier romantisme sombre succède l'insolence des clubmen vivant dans le vase clos du monde des courses, dont les femmes sont exclues. Le romantisme évoluera vers son sens très édulcoré de mièvrerie pour jeunes filles en fleurs qui s'émancipent en lisant des romans. La jupe cloche courte avec corsage en ailes de papillon des fashionables de 1830 se gonfle en une énorme corolle montée sous le buste profondément décolleté des lionnes du second Empire : la crinoline, née en 1841, connaît son ampleur maximum en 1858, atteignant neuf mètres de tour, avant de s'aplatir progressivement autour de 1867. La « sous-jupe-cage » de cercles d'acier brevetée par Duchâteau, qui soutient les jupes, déchaîne les moralistes. Le ridicule causé par les envolées impromptues de l'engin, révélant subrepticement les dessous féminins, n'arrête pas les élégantes. Pourtant une femme révolutionnaire se dresse contre l'infernal engin métallique. L'Américaine Amelia Bloomers se rend à Londres et à Dublin en 1851 pour mener une croisade en faveur du vêtement rationnel et d'une réforme du costume féminin « anti-crinoliniste ». Malgré l'enthousiasme des disciples et des médecins, les démonstrations dans la rue des fameuses « bloomers » ne suscitent que la réprobation générale. Cette culotte bouffante évoque trop les revendications d'émancipation féministes à travers son appropriation du costume masculin. Les bloomers ne seront admis pour les femmes qu'à la fin du siècle sous la forme de costumes de gymnastique ou de bicyclette.

Les esthètes

Le second Empire, c'est le retour à l'opulence, au luxe, à l'argent facile, aux fortunes soudaines suivies de désastres retentissants, c'est la fête impériale avec son florilège de bals à la Cour et de spectacles. Difficile de passer pour un excentrique au milieu de cette course aux plaisirs et aux dépenses sans lendemain. Les excentriques du moment, ce sont les petits crevés rescapés de l'abus de punch et de « galops », ces sarabandes infernales qui clôturent les bals. On peut les apercevoir de jour sur les boulevards, se pavanant en habit étriqué à veste courte et pantalon collant à carreaux. Le directeur du *Figaro*, Villemessant, porte l'habit « flamme de punch », un chapeau blanc en angora et une redingote couleur noisette à jupe « balayeuse » aux plis en tuyaux

Ci-dessus à gauche
Les premiers bloomers sous le second Empire.

Ci-dessus à droite
« La belle cycliste », vers 1900. Cette gravure montre un costume de fantaisie qui reprend le principe des culottes bloomers. Gravure d'après un dessin de Carl Hap. Paris, Bibliothèque des Arts décoratifs.

d'orgue. Mais l'élégance du prince de Sagan ou du duc de Garmont-Caderousse ne possède pas un degré suffisant pour faire école. Aucun ne pourra lutter contre l'entrée dans l'uniformisation du vêtement masculin à partir de 1850, un costume qui renonce très progressivement aux couleurs pour s'éteindre dans le noir démocratique.

Toutefois, le mouvement de l'esthétisme, né à Londres vers 1855 sous l'influence des peintres préraphaélites, développe une vision originale de l'apparence. Selon Jules Claretie, l'esthète « s'il est homme porte les cheveux longs et lève au ciel des yeux profonds tout en tâchant de se donner des joues creuses ; l'esthète femme porte des robes Moyen Âge aux nuances bizarres ». Sur les tableaux de Burne-Jones, les belles posent en robe ample, les cheveux épars sur les épaules. En 1882, le jeune Oscar Wilde, disciple de Ruskin, arbore une tenue d'esthète – veste et culotte de velours noirs, bas de soie et escarpins noirs – au cours d'une tournée de conférences qu'il effectue aux États-Unis pour la promotion de sa « philosophie esthète ».

Ci-dessus
George Sand, lithographie de A. Lorenz.
« Miroir drolatique.
Si de Georges Sand ce portrait,
Laisse l'esprit un peu perplexe,
C'est que le génie est abstrait,
Et comme on sait n'a pas de sexe. »
La caricature dénonce le scandale d'une femme, écrivain célèbre, apparaissant en public en redingote et pantalon collant, la cigarette à la main, bravant ainsi les usages et le Code Napoléon qui interdisait le travestissement. Flora Tristan, autre écrivain de l'époque provoqua elle aussi le scandale en se vêtant en homme, symbolisant ainsi sa lutte contre les conventions sociales.

« La femme est le contraire du Dandy » *Charles Baudelaire*

Les nouvelles Ève

Avec la IIIe République, le costume féminin s'accorde aux lourdeurs du style tapissier et enferme la femme dans le pouf de la robe à tournure drapée. Le pouvoir, privé du souffle créatif d'une Cour, cesse d'orienter les modes. Dorénavant, c'est dans les milieux du spectacle et de la galanterie que se réfugient les frivolités vestimentaires.

Dispendieuses cocottes et troublantes vamps

Actrices et demi-mondaines donnent le ton et surpassent en extravagance les vraies mondaines. Parées comme des icônes de temples païens, croulant sous les perles et les diamants, sanglées dans de longs corsets et des jupes cloches moulant les hanches, elles défient les conventions, bravent les interdits avec l'assurance qu'autorisent les fortunes déposées à leurs pieds par leurs amants. La femme fatale incarnée à la scène par Sarah Bernhardt vit au grand jour sous les traits de la Belle Otéro ou de Liane de Pougy. La divine comédienne parvient par son talent à échapper à sa condition d'actrice, fille d'une demi-mondaine. Jean Cocteau, qui l'a vu jouer à soixante ans le rôle de Marguerite Gautier, admirait sa faculté de « vivre à l'extrémité de sa personne dans sa vie et sur les planches ». Sarah Bernhardt est le premier monstre sacré dont on raconte les extravagances : elle dort dans un cercueil et réussit, grâce à sa silhouette androgyne, des travestissements saisissants pour jouer Hamlet, Lorenzaccio ou l'Aiglon à l'âge de cinquante-six ans.

Parias de la bonne société, les demi-mondaines vivent librement, piétinant toutes les conventions. Rien ne les empêche de porter les créations les plus audacieuses des grands couturiers et de faire assaut d'élégance ou d'esprit. *Maxim's* est le théâtre des apparitions fracassantes de ces divinités dont l'image s'offre à la vénération publique dans les magazines et les cartes postales. Liane de Pougy ridiculise sa rivale la Belle Otéro, qui a fait une entrée éblouissante chez *Maxim's* couverte des pieds à la tête de perles et de pierres précieuses. Un soir, Liane de Pougy arrive vêtue d'une simple robe noire empruntée à sa femme de chambre, cette dernière l'accompagnant couverte de tous ses joyaux ! Cette scène résume le tempérament hors normes des grandes hétaïres. Une décennie plus tard, une autre demi-mondaine, Coco Chanel, rejette définitivement le harnachement de chevaux de grand prix des belles de la Belle Époque, et remplace corsets et robes longues par des jupes et des pulls de jersey portés avec des souliers plats.

Ci-dessus
Sarah Bernhardt dans un cercueil capitonné de satin blanc, où elle dormait, ou comment s'identifier totalement à un rôle. Prototype de la vamp moderne, incarnant au théâtre la Dame aux camélias, l'actrice savait mourir sur scène avec un réalisme qui faisait s'évanouir son public.
Deuxième moitié du XIXe siècle.

Page 34
Les ensorceleuses de la Belle Époque, actrices et demi-mondaines vers 1900 : La Cavaliéri (en haut à gauche) ; Caroline Otéro, dite « la Belle Otéro » (en haut à droite et en bas à droite) ; Cécile Sorel (en bas à gauche).

Page 35
La Cavaliéri, vers 1900.

REUTLINGER
PARIS

Ci-dessus et page de droite
Les tentations parisiennes : les actrices et les demi-mondaines sont des clientes de choix des grands couturiers et des magasins de frivolités. Leur beauté met en valeur les nouveautés publiées dans les magazines. Catalogues de grands magasins, *Au Louvre* et *Au Bon Marché*, gravure de la *Gazette du bon ton*… Entre 1910 et 1925.

AU BON MARCHÉ
Maison A. BOUCICAUT
PARIS

Été 1925
Grands Magasins de Nouveautés
" AU PAUVRE DIABLE et à SAINT-HERBLAND réunis "
VOISIN
65, rue de la Grosse-Horloge, ROUEN

Garçonnes libérées, élégantes surréalistes

Cette révolution féministe qui bouleverse le vêtement féminin de la Première Guerre mondiale ouvre la voie à la folie des années 1920. Les jeunes femmes vivent librement, coupent leurs cheveux « à la garçonne », conduisent leur voiture en jupe courte, dansent le charleston, se grisent de champagne extra-dry. Les plus téméraires suivent l'exemple de l'héroïne du roman de Victor Margueritte *la Garçonne*, scandaleux succès de l'année 1922, tiré à sept cent mille exemplaires et qualifié de pornographique. Renonçant à la tranquillité de la vie conjugale, elles s'engagent dans l'amour libre, s'initient aux vertiges de l'opium et de la cocaïne.

Dans les années 1910-1920, une des plus célèbres d'entre elles est la reine des Montparnos : Kiki de Montparnasse, égérie et modèle favori des peintres, incarnant le prototype de la garçonne libérée vivant sa vie au gré de ses fantaisies... Man Ray, avec qui elle a vécu quelque temps, se rappelle avoir été frappé par son allure lorsqu'il l'a remarquée à la terrasse d'un café avec son maquillage outrancier, « les cheveux coupés courts avec une frange jusque sur les yeux, [...] des boucles qui lui descendaient sur les joues à la manière, pensais-je, des petites amies des apaches parisiens ». La plupart des artistes vivent dans la pauvreté, ce qui ne les empêche nullement d'organiser des parties endiablées dans les ateliers. Man Ray se souvient ainsi d'une soirée passée chez le peintre Foujita où Kiki imitait Napoléon, un chapeau posé de travers et les jupes relevées jusqu'à la taille : « Ses cuisses blanches – elle ne portait pas de culotte – étaient la réplique exacte des pantalons de l'empereur. » Elle devient l'attraction principale de l'une des premières boîtes de jazz ouverte par un ex-jockey à Montparnasse, *le Jockey*, dont la façade a été décorée de cow-boys et d'Indiens par le peintre américain Hilaire Hiler : « Elle chantait des chansons françaises, grivoises, avec une inimitable expression pince-sans-rire. »

Avec la crise économique de 1929, la mode vire au classicisme, mais quelques personnalités du monde, comme Elsa Schiaparelli ou le vicomte et la vicomtesse de Noailles, adhèrent au mouvement novateur du surréalisme. Électrisée par la personnalité de Salvador Dalí ou de Jean Cocteau, Schiaparelli tente de rendre réel l'imaginaire surréaliste en coiffant Daisy Fellowes ou Gala Dalí d'un chapeau-soulier ou en portant elle-même le chapeau côtelette d'agneau le temps d'une fête. En 1935, Mme Yevonde photographie Mrs Edward Mayer la tête coiffée d'un serpent figurant Méduse, et la comtesse de Shrewsbury en Ariane armée d'un long poignard en guise d'éventail.

Page 38
La cocotte 1900 dans toute sa splendeur : grand chapeau à la Marlborough chargé de plumes, silhouette sinueuse de liane dessinée par le long corset, jupe à froufrous. Aquarelle et encre.

Page 39
En manteau kimono, la femme fatale s'approprie le charme mystérieux de l'orientalisme, et ose fumer en public. Gouache et encre.

En haut à gauche
Caricature de Foujita, l'artiste japonais, ami de Kiki de Montparnasse.

En haut à droite
Kiki, l'insolente égérie des artistes. Extrait de *Paris Montparnasse*, 15 mai 1929.

Ci-dessus
Kiki de Montparnasse. Les cheveux coupés courts, le visage maquillé comme une actrice, la robe outrageusement décolletée, la compagne de Man Ray pose en modèle de garçonne affranchie. Photo de Man Ray, années 1920.

Ci-dessus
Lya de Putti. Son maillot à tête de mort rappelle les sweaters surréalistes lancés par Elsa Schiaparelli en 1927.

Page de droite
Pola Negri. La garçonne, avec ses cheveux coupés à la Jeanne d'Arc, ne renonce pas à sa féminité et se maquille comme une héroïne des films muets : sourcils épilés et dessinés au crayon en arc de cercle, yeux charbonneux, bouche en cœur soulignée au rouge raisin.

LES MAUVAIS GARÇONS

Les zootsuiters américains, disciples de Cab Calloway dans les années 1930, affichent une élégance extravagante qui les marginalise. Paradoxalement, la dérision et la futilité de costumes caricaturaux sont les armes de ceux qui réclament le respect et la reconnaissance.
Les Noirs américains ou hispaniques de Californie, mexicanos Pachucos, portent un costume épaulé de coupe parfaite, à longues basques et revers, avec large pantalon également à revers et cravate haute maintenue par une épingle. Malcolm X raconte dans son autobiographie sa transformation zoot lors de son entrée dans les hipsters au début des années 1940 : « On prit mes mesures, et le jeune vendeur décrocha d'un portant un costard zoot complètement dingue : pantalon bleu ciel, soixante-quinze centimètres de large à hauteur des genoux, puis faisant un angle pour arriver à trente centimètres en bas ; veste-redingote pincée à la taille et évasée ensuite jusque sous mes genoux. En guise de cadeau, dit le vendeur, le magasin me donnait une fine ceinture de cuir avec mes initiales dessus ! »
L'allure provocante des zooties suscite de violentes réactions racistes. À partir de 1943, de l'Arizona jusqu'à New York, ils affrontent au cours de violentes bagarres des Marines en uniforme qui jugent sévèrement leur mépris de la loi du rationnement en matière textile. Leur costume, signe d'appartenance à une communauté, les désigne comme la cible de combats racistes. Le costume zoot est le premier manifeste des communautés marginalisées en faveur d'une identité qui leur soit propre. Comme le montre Ted Polhemus, les zooties fêtent le grand retour à une élégance masculine débridée qui n'a plus peur de s'afficher.

Zazous !

À leur tout, les zazous français du temps de l'Occupation reprennent les proportions exagérées des tenues des zootsuiters, mais en modifient certains éléments : pantalon trop court, veste trop large, haut col à cravate fine fermée par une épingle en or, souliers à plate-forme, cheveux laqués en toupet sur le crâne. Ils s'expriment par onomatopées, refusant par leur attitude dédaigneuse l'état d'occupés. Le port de l'étoile jaune avec le mot « swing » à la place de « juif » parachève cette tenue hautement contestatrice. L'inspiration américaine de leur accoutrement, leur nom emprunté à une chanson de Johnny Hess ou de Cab Calloway, leur refus de se

Ci-dessus à gauche
Zazou coiffé en toupet dansant le jitterbug, avec le geste du joueur de Yo-Yo, vers 1943.

Ci-dessus à droite
Cab Calloway en zoot suit. En 1934, avec sa chanson *Jitterbug* il avait lancé le style swing aux États-Unis, repris par Johnny Hess en France, qui chante « Je suis swing » en 1942, avec le refrain « Za zou, za zou, za zou, za eou zé ». Les zootsuiters sévissent dans les milieux du jazz noirs américains. En quête de reconnaissance sociale, ils se « sapent » comme des princes de Harlem, mais leur extravagance et le luxe de leur tenue sont jugés antipatriotiques en 1941, quand les États-Unis entrent en guerre.

conformer aux rationnements de textiles, pousseront en juillet 1942 un groupe de jeunesse collabo à les « scalper » à l'aide de rasoirs. Tout comme leurs ancêtres de Thermidor, ces jeunes gens engendreront le style de l'après-guerre, dominé par l'élégance de la coupe des complets.

Rudes blousons noirs

Dans l'imaginaire américain des années 1950, au personnage du cavalier cow-boy se substitue progressivement le cavalier moderne motorisé, que l'on verra bientôt parcourir les étendues sans fin des road-movies. Pour le moment, il brave la société puritaine au guidon de sa moto. L'image du rocker mauvais garçon en blouson de cuir et jean, et de son homologue européen le blouson noir évoque le personnage de Marlon Brando dans *l'Équipée sauvage*, film de 1953 inspiré d'un fait divers (un tapage causé par des motards à Hollister, en Californie). Il semblerait que les premiers gangs de motards se soient constitués à partir de soldats revenus des guerres d'Europe et du Pacifique qui n'entendaient pas rentrer dans le moule fade de l'*american way of life*. Pour la première fois, un vêtement alternatif mêle le jean des paysans et des ouvriers au blouson de cuir de l'uniforme militaire. La liberté rime avec le symbole de puissance, de virilité et de mépris du danger que représentent leurs montures de métal et leurs harnachements.

Ci-dessus
Cab Calloway dans le film *La Symphonie magique*.

Page suivante à gauche
Zazou, vers 1942-1944. Dès 1938 les premiers zazous arborent la moustache à la Errol Flynn, des vestes à longues basques, des pantalons trop courts, des socquettes blanches, des chaussures à épaisses semelles et des lunettes noires à toute heure de la journée. En 1942, jugés décadents par les pétainistes, ils sont pourchassés par les Jeunesses populaires françaises aux cris de « Rasez le zazou ! ».

Page suivante à droite
1942. Selon leur degré de snobisme, les zazous fréquentent les cafés du Quartier latin ou les bars des Champs-Élysées et boivent des jus de fruits ou de la bière-grenadine.

BAC 42

— Le prof' m'a demandé quel événement avait le plus ouleversé le XXe siècle... J'ai répondu : « Le swing »... lors, y m'a collé un zéro...

— Pauvre cher ! Vraiment, il n'était pas très zazou !

L'UTOPIE LIBERTAIRE DES HIPPIES

Au milieu des années 1960, le phénomène hippie, qui s'oppose à la société de consommation en plein épanouissement, fleurit au croisement de Haight et d'Ashbury à San Francisco. Rêveurs éveillés qui inventent le futur en refusant le réel, les hippies se consacrent à la joie de recréer un monde meilleur. Afin de faire de l'amour et de la connaissance totale une réalité, ils reprennent les expériences des pères fondateurs du psychédélisme, comme Timothy Leary ou William Burroughs, ou les visions d'Aldous Huxley dans *Aux portes de la perception.*

Le coup d'envoi historique est donné en 1962, lorsque Timothy Leary fonde la Fédération internationale pour la liberté. À travers l'absorption de LSD, dont il propose un dosage scientifique, l'adepte de cette nouvelle religion doit atteindre l'illumination. En 1966, alors que le Golden Gate Park accueille le premier Love-in, on dénombre déjà sept communautés hippies autour de San Francisco et à New York. L'année suivante au même endroit, le 14 janvier, le premier Human Be-in regroupe cinquante mille personnes fêtant l'an II de l'ère hippie, tandis qu'au croisement de Haight et d'Ashbury traînent jusqu'à trois cent cinquante mille hippies. L'appel de l'Orient, aux sources du haschisch, et la quête du sacré conduisent à Katmandou deux cents hippies en 1966. Mais 1967 signe la fin du mouvement originel, déjà récupéré sous les yeux curieux des touristes et des apprentis hippies du week-end. Les vrais hippies quittent la ville pour se réfugier loin du monde corrupteur. Les hippies « penseurs » appartenant à la Beat generation se regroupent dans les villes au sein de communautés à vocation artistique ou sociale.

La vêture hippie indique clairement la vision idéaliste et romantique de la société du Peace and Love : vêtements ethniques en signe de communion entre les peuples, jean en signe d'égalité entre les classes sociales, vêtements unisexes en signe d'égalité entre les sexes, nudité en signe de libération de tous les tabous sociaux. Les héritiers de la Beat generation vont tout faire pour échapper au modèle de société proposé par la civilisation la plus avancée sur le plan technologique. Les liens d'un néotribalisme soudent les groupes : vie communautaire, vie sexuelle libre et échangiste, mise en commun des biens, renoncement au profit individuel pour le bien de la communauté… En un mot, effacement de l'individu égoïste au profit de l'épanouissement dans le groupe. Au-delà de

Ci-dessus à gauche
Les hippies appliquent l'idéologie du « Peace and Love » en vivant en marge de la société dans l'amour libre. Le jean signe l'abolition des barrières séparant les sexes, les peuples, les classes sociales. Deuxième moitié des années 1960.

Ci-dessus à droite
Sur l'île de Wight, en septembre 1970. La nudité du corps symbolise le nouvel hédonisme d'une jeunesse qui croit recréer le paradis sur Terre et son état d'innocence.

la fusion des membres de la communauté, c'est la métaphore de la communion entre les hommes de toutes races et de toutes origines qui est proclamée. Dans *Do-it*, Jerry Rubin raconte à propos des festivals comme Woodstock: « Les groupes de rock nous unissaient dans un défoulement tribal, nous, une secte, une famille, une civilisation, avec notre musique, nos fringues, nos règles de vie. »

L'héritage du Flower power

Mais, avec ses cheveux longs, ses fleurs peintes sur le corps, ses tuniques indiennes et ses jeans effrangés de pauvre, le hippie ne parvient pas à imposer cet idéal de douceur, de tolérance et de bonté qu'il est censé exprimer. Au contraire, les Peace and Love et leurs manifs non violentes contre la guerre du Viêt Nam déchaînent une répression musclée. À la même époque, le mouvement pop du Swinging London, qui s'agite sur la musique des Beatles, secoue également l'establishment britannique. Henri-Skoff Torgue estime que « tant que la part du jeu est respectée, la société tolère : c'est la phase de récupération commerciale. Mais, lorsque la contestation s'infiltre plus profondément, la répression apparaît ». Finalement, cette société que les marginaux hippies rejettent aura raison de leur idéalisme. Dès les années 1980, les rois de la production délocalisée, les pourvoyeurs en chaussures cool font du précepte « Do-it » leur slogan universel de vente.

Mais l'héritage hippie, c'est aussi la libération des mœurs, des femmes, des enfants, de l'éducation. C'est la conscience écologique et la culture biologique qui vont triompher dans les années 1990. C'est l'infantilisation de la société, le refus de vieillir en s'accrochant à ses rêves d'adolescent. Dans le vestiaire universel, cela se traduit par le style baskets-survêtement, les vêtements *baggy*, les treillis, polos, parkas... L'hédonisme de ceux qui font implicitement l'apologie de la paresse et du jeu donnera son profil caractéristique à notre société des loisirs. Il est frappant de remarquer combien le vêtement porté de nos jours pour les activités de loisirs, le sport ou les voyages conserve l'écho « vulgarisé » de cette époque. L'héritage de la libération du goût et des dictatures vestimentaires s'incarne dans la nouvelle convention du laisser-aller. C'est le reflet de la société du « sympa », selon Renaud Camus. Comme pour se distinguer de cet amollissement, de ces abâtardissements des principes hippies, les néo-hippies nomades de l'an 2000 s'habillent avec recherche.

Ci-dessus
La fleur, symbole de paix, sera opposée aux canons des fusils en signe de protestation contre la guerre, en particulier celle du Viêt Nam. Deuxième moitié des années 1960.

Pages 52-53
Jean-Jacques Lebel, Ultra Violet et Taylor Meade, 1967.

Le plus célèbre des excentriques britanniques contemporains est certainement le marquis de Bath, septième du nom, qui vit dans sa propriété de Longleat entouré d'animaux sauvages. Panthéiste, polygame et artiste prolixe qui couvre les murs de son château de tableaux et de fresques illustrant le *Kama-sutra*, lord Bath est aussi un hippie : il a définitivement renoncé à l'usage des chaussures, porte fièrement une longue tignasse et une barbe fournie et s'habille de caftans orientaux.

Interview avril 2001

Quel est le pouvoir d'une apparence et d'un comportement originaux ?

Découvrir vos propres règles, tant dans l'apparence que dans le comportement, a pour avantage de moins vous obliger à suivre celles qu'édictent les autres. Vous avez établi des règles conçues pour s'adapter à votre personnalité, pour le meilleur comme pour le pire.

L'essence même de l'excentricité est-elle une attitude aristocratique ?

L'excentricité (ou plutôt l'individualisme) n'est pas une attitude spécifiquement aristocratique. Il peut y avoir des individualistes dans n'importe quel milieu. Il ne serait cependant pas faux de dire que les aristocrates ont une plus longue tradition dans ce domaine ; ils ont développé leur style de vie sans subir trop de pressions conformistes, ce qui n'a pas été le cas d'autres personnes.

Que pensez-vous de l'opposition entre être et paraître ? Croyez-vous que l'apparence puisse être plus humaine, plus réelle, que ce qu'on appelle « être naturel » ?

Chacun doit déterminer dans quelle mesure il peut se permettre d'être ce qu'il veut, quelle que soit l'image qu'il souhaite donner de lui-même. Mais la sagesse consiste à modérer son imagination et à façonner son identité à partir d'une perception réaliste de ce que l'on peut (ou ne peut pas) faire ou être.

Est-il possible d'être excentrique à notre époque, et comment ?

Au sein d'une société en train de découvrir (aussi vite qu'elle le peut) tous les bienfaits de la centralisation, il serait vraiment peu judicieux d'ignorer les avantages qu'il y a à prêter attention aux propositions différentes des originaux. C'est à partir de cette source que seront découvertes toutes sortes d'idées nouvelles sur d'autres types de comportement. Ainsi les acquis du passé pourront-ils être sauvegardés par l'intégration de cette nouveauté dans nos conceptions actuelles, et l'individualisme restera un aspect essentiel de notre valeur dans la société.

Pourquoi l'excentricité est-elle généralement considérée comme une spécificité britannique ?

La société anglaise a de tout temps accordé une grande valeur à la tolérance. Or, celle-ci crée un environnement dans lequel l'individualisme peut être apprécié.

Être un véritable excentrique revient-il à jouer un rôle dans une pièce de théâtre permanente ?

L'un des facteurs consiste peut-être à jouer les rôles que la vie nous a attribués, et à leur rester fidèle malgré les critiques que les autres pourraient nous adresser.

Est-ce le but de toute une vie tendant vers un rêve de perfection, ou bien cela revient-il à se construire un alter ego ?

Il s'agit davantage de s'efforcer de rester fidèle à soi-même.

Le marquis de Bath.

Avez-vous une définition de l'excentricité ?
Je la définis comme un profond individualisme. Plus le comportement devient individualiste, plus la réputation d'excentricité est grande.

Quels seraient les signes distinctifs de l'excentricité, s'il y en avait ?
Plus le comportement de quelqu'un est perçu comme individualiste et plus longtemps il constitue son mode de vie, plus les autres le remarqueront au point que leur propre comportement en sera influencé, et plus il aura une réputation d'excentrique.

Vous considérez-vous comme un excentrique ? Et, si c'est le cas, pour quelles raisons ?
Je prône une attitude (ou une philosophie) d'individualisme plus que d'excentricité, mais les autres peuvent la qualifier comme ils veulent. J'ai trouvé intéressant d'élaborer mes propres positions concernant la religion, la politique, l'éthique familiale. J'attends toujours que d'autres adoptent éventuellement ces positions.

Marquess of Bath

Le choc punk

Une dizaine d'années après la fin du « hip » de San Francisco, sur fond de crise économique, les punks des banlieues pauvres de Londres déclarent la fin des utopies hippies et préfigurent le constat de chute des idéologies avec le slogan « No future », personnifié par les Sex Pistols. Lorsqu'il devient membre du groupe, le chanteur Johnny Rotten a les cheveux verts et porte un tee-shirt sur lequel est inscrit « Je déteste les Pink Floyd ». Déjà tout un programme ! Cette grande claque du punk, considéré par certains comme nihiliste et par d'autres comme messianique, reflète la réalité vécue par des fils d'ouvriers dont les perspectives d'avenir se limitent à pointer au chômage.

No Future !

Le mouvement punk, né à Londres vers 1975, se caractérise par la violence de son apparence, à la limite du sadomasochisme. Des vêtements lacérés et bardés d'insignes nazis, des rats vivants portés en guise d'accessoires, des épingles plantées dans la peau, des cheveux teints et dressés à l'iroquois forment une panoplie dont le but est la provocation permanente. Sid Vicious définit ainsi l'attitude punk : « La colère contre le monde est tournée contre le moi et contre le corps, en tant que manifestation la plus visible et accessible de ce moi. » C'est un corps piège, lieu de plaisirs exploité par la société à des fins d'uniformisation, la drogue est un abrutissement qui cache la vérité, le sexe un esclavage… Sid Vicious illustre cette idée par le biais d'une photographie publiée dans *Rolling Stone* en 1977, où il pose attaché par des menottes à sa petite amie. En maltraitant le corps, on tente de s'en libérer et aussi de se différencier. On devient partie d'une tribu aux mêmes aspirations qui devance le fait d'être maltraitée en se faisant souffrir elle-même.

Avec de tels principes, on ne peut s'étonner que les punks provoquent des réactions brutales. Une célèbre photo prise au concert de Dallas par Bob Gruen en 1978 montre un Sid Vicious dégoulinant de sang : une groupie lui a décoché en guise de baiser un coup de poing dans le nez, et l'artiste, reprenant cette violence, s'est ensuite lacéré le torse avec une bouteille de bière cassée. Le sautillement permanent des groupes punk sur scène, à l'instar du *pogo* qui aurait été inventé par Sid Vicious, serait une manière d'éviter d'être blessé par les jets de bouteilles de bière. Et l'habitude de se cracher dessus viendrait de l'exemple donné par Johnny Rotten, qui,

Page de droite
Une du *Daily Mirror* dénonçant le passage scandaleux des Sex Pistols dans l'émission populaire « Today » sur la Thames Television, où le présentateur, Bill Grundy, a délibérément provoqué le groupe. La presse prétend que, bouleversés par les répliques cinglantes des Sex Pistols, des vieilles dames auraient été victimes de crises cardiaques !

Daily Mirror

BRITAIN'S BIGGEST DAILY SALE

Thursday, December 2, 1976 • No. 23,638

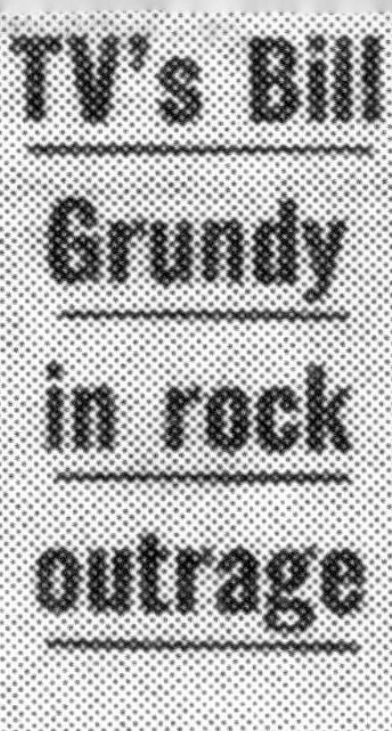

...udge in
...murder'
...pardon
...hocker

THE GROUP IN THE BIG TV RUMPUS

Johnny Rotten, leader of the Sex Pistols, opens a can of beer. Last night their language made TV viewers irate.

When the air turned blue . .

INTERVIEWER Bill Grundy introduced the Sex Pistols to viewers with the comment: "Words actually fail me about the next guests on tonight's show."

THE FILTH AND THE FURY!

A POP group shocked millions of viewers last night with the filthiest language heard on British television.

The Sex Pistols, leaders of the new "punk rock" cult, hurled a string of four-letter obscenities at interviewer Bill Grundy on Thames TV's family teatime programme "Today."

Shocker

Uproar ... viewers ... jam pho...

By STUART GREIG, MICHAEL McCARTHY and JOHN PEACOCK

WHO ARE THESE PUNKS?

souffrant de sinusite chronique, se dégageait sans arrêt les voies respiratoires sur scène. Pourtant John Lydon, ex-Johnny Rotten, n'en démord pas : « Les Sex Pistols n'avaient rien à voir avec l'autodestruction. Au contraire, nous voulions détruire une situation qui nous détruisait. »

Vivienne Westwood

Ce n'est pas par hasard que l'extrémisme de leur image équivaut à la virulence de leur musique : trois des membres du groupe se sont rencontrés dans le magasin de vêtements *Sex* de Vivienne Westwood et Malcolm McLaren, sur King's Road. À son ouverture en 1971, sous le nom de *Let it rock*, la boutique propose la redécouverte des années 1950 et du look Teddy boy : vêtements, vieux disques et souvenirs. Refaite en 1973 et rebaptisée *Too fast to live, Too young to die*, elle attire alors les nostalgiques des zootsuiters et du style mod des années 1960. Puis Westwood invente la panoplie punk comme un affront à l'establishment : des tee-shirts déchirés bardés de slogans politiques ou sexuels, du cuir et du vinyle fétichiste. La publicité du magasin assure que porter ces vêtements « affects your social life » (« affecte votre vie sociale »).

La production discographique des Sex Pistols est inversement proportionnelle à leur notoriété. La violence qu'inspire le groupe le détruira rapidement : après un passage dans l'émission *Today* de Bill Grundy où ils ont déballé un langage ordurier, les Sex Pistols sont voués aux gémonies. La presse, indignée par l'image de la reine la bouche fermée par une épingle à nourrice qui figure sur la pochette du disque, boycotte le lancement de *God Save the Queen*. Johnny Rotten et Paul Cook sont hospitalisés à la suite d'une attaque à coups de barres à mine et de lames de rasoir par des patriotes. Après une existence fugace de vingt-six mois, les Sex Pistols se désintègrent au cours d'une tournée aux États-Unis fin 1977 ; leur guitariste, l'outrageux Sid Vicious, mourra en 1979 d'une overdose d'héroïne.

La portée du mouvement punk dépassera largement sa durée éphémère. Le style punk ne cessera d'être une référence et pimentera régulièrement la mode – même si le néo-punk, assimilé à un déguisement ou récupéré par le luxe, peut faire sourire – et la musique punk réapparaîtra vers la fin des années 1990. On verra même, dans les années 1990, les enfants de cette génération endosser les panoplies combinées des ennemis d'hier (punks et hippies) et former la grande famille des new-age travellers. Des nomades qui renoncent à la vie citadine et, une fois encore, prennent la route des festivals du solstice d'été de Stonehenge ou de Glastonbury… sur l'itinéraire les conduisant au-delà de leur jeunesse.

Ci-dessus
Handbill (flyer) d'un concert des Sex Pistols au 100 Club à Londres, mardi 31 août 1976. Alors que la réputation de violence qui les précède les a exclus de différents clubs et du Festival punk de Mont-de-Marsan en France, les Sex Pistols trouvent refuge sur la scène du 100 Club, où ils jouent le mardi.

Page de droite
Punk à coiffure « iroquoise », face à un bobby, symbole de l'ordre britannique, 1er octobre 1984.

TOY
DOLLS
DIRT

« Sans doute, les cavernes furent-elles, elles aussi, les champs clos de concours d'élégance intense, où s'affrontaient déjà, à la manière des sémillants sapeurs de Kinshasa – dignes membres de la SAPE (Société des ambianceurs et des personnes élégantes) –, ces véritables ready-made que sont les Extravagants... » *Patrice Bollon*

EXCENTRICITÉS DE CIRCONSTANCE

La limite dans le temps et dans l'espace accordée à certains événements autorise l'originalité. Protégé du ridicule et du danger que représente le costume d'exception par le cadre défini de l'action, moment temporaire de permissivité, tout un chacun peut tenter une expérience de l'excentricité occasionnelle. Ces moments exceptionnels changent de sens selon qu'ils sont à caractère populaire ou élitiste. Le cérémonial des courses de chevaux réinvente l'attitude chevaleresque des dames se parant de leurs plus beaux atours pour assister à la parade des cavaliers. L'exploit sportif résonne dans l'excès de style des femmes. Dans les défilés de rue, le peuple réclame son droit à la liberté et à l'expression de l'individualité. Mais quelles que soient les excentricités accomplies dans un cadre défini, elles autorisent la rencontre entre les milieux qui, ailleurs, s'ignorent et s'évitent : aux courses, les femmes du monde côtoient les milieux de la galanterie. Au cours du carnaval, le masque assure le mélange des genres en protégeant l'anonymat. Selon les époques, la pression sociale se relâche momentanément dans des rituels festifs, véritables soupapes de sécurité d'un monde étouffé par le conformisme. Certains bouleversements des lois sociales se prépareront dans des fêtes où le costume se porte comme un étendart. La reconnaissance du droit à la différence des homosexuels s'accomplira dans les parades de rue. Le costume du conformisme s'échange contre le vêtement de la personnalité véritable. En participant au Burning Man de Los Angeles, les cadres stressés retrouvent l'enthousiasme et la spontanéité de de leur jeunesse dans la nécessité de s'exprimer artistiquement.

Le jour

Les courses, ou l'extravagance mondaine

Découvert par le prince Lobanoff en 1833, le terrain de Chantilly remplace les allées du bois de Boulogne et du Champ-de-Mars pour le nouveau sport en vogue imité des Anglais et promu en France par le Club des jockeys. Inaugurées en 1834 dans la propriété du duc d'Aumale, les courses de Chantilly seront quelques années plus tard le rendez-vous obligé du calendrier des mondanités. La coupe d'or offerte par M. de Rothschild en 1836 est semblable à « ces riches hanaps que les hauts barons offraient jadis aux vainqueurs dans les tournois ». Les élégantes paraissent en tenue d'inspiration gothique, coiffées de chapeaux de paille d'Italie ornés de longues plumes, de rubans, d'oiseaux de paradis, de fleurs et d'épis de maïs. Les clubmen portent la canne ferrée à la mode anglaise, le *little-stick*, accessoire indispensable, avec le chapeau en tuyau de poêle et le cigare. Vers 1900, alors que sévit la mode des vastes chapeaux à la Marlborough, la tribune des courses ressemble à un parterre fleuri où le visage des femmes disparaît sous les savantes constructions des modistes. Une tenue particulière dite « de courses » est commandée pour l'occasion chez Worth ou Doucet. Ces grands couturiers attendent avec impatience le résultat d'une course parallèle, celle de leurs mannequins, envoyés au pesage comme à la parade. Rare fête extérieure et publique, ce rendez-vous mondain des courses représente l'occasion parfaite de faire défiler les nouveautés les plus osées. Les femmes sont tellement soucieuses de tenir la vedette du jour qu'elles attendent parfois la veille au soir pour commander leur tenue. Dans les magazines, des photos accompagnées de légendes livrent le compte rendu de ce concours d'élégance parallèle à la compétition équestre. Il est vrai que, dans la mentalité des mondains, les jolies femmes ont autant de valeur qu'un pur-sang ; l'entretien d'une écurie coûte aussi cher que celui d'une « grande horizontale ».

Les originalités chapelières

Cette habitude de faire assaut d'élégance aux courses traversera le temps, jusqu'à aujourd'hui. Dans les années 1980, lorsque la marque de sellerie Hermès s'associe au prix de Diane, elle redonne de l'éclat à la manifestation. C'est une des rares survivances d'un principe d'élégance suranné qui, avec le sens du faste déployé dans les mariages, ait survécu à Mai 68 et à la dictature

Page 58
Costume féminin de bal travesti, à l'orientale. 1836. Dessin d'Henri Mirault.

Page de droite, en haut
Les champs de courses sont les lieux d'élection pour des démonstrations d'élégance et de luxe. Les actrices, les mannequins et les demi-mondaines se distinguent par l'originalité de leurs toilettes. À gauche, vers 1916 ; à droite, jeune femme aux courses, vers 1908, portant la nouvelle ligne à taille haute inspirée du Directoire et lancée par Paul Poiret en 1907.

Page de droite, en bas
La tribune de Longchamp, 1900. L'exubérance des chapeaux fleuris et empanachés des femmes concurrence les décorations végétales.

Pages 62-63
« Coiffer sainte-Catherine », l'expression porte bien son nom avec ce défilé de célibataires, en 1925. Dans les maisons de couture, les ateliers prolongent cette tradition du défilé et d'une fête qui est l'occasion, pour les jeunes filles de plus de vingt-cinq ans, d'exprimer publiquement leur célibat en portant un chapeau extravagant.

23

du « tout en jean ». Mais le nouveau code du paraître des élégances chapelières se fonde désormais exclusivement sur la notion d'originalité. Le simple fait de se coiffer d'un chapeau constitue un geste original dans un monde où, depuis la Seconde Guerre mondiale, cette parure est considérée comme totalement accessoire et inutile. Tout se passe comme si les invités, mis devant l'obligation sociale de porter un chapeau et de transgresser les conventions vestimentaires contemporaines, préféraient les créations les plus extravagantes. Quitte à sortir de sa coquille, autant s'amuser en étonnant ses amis et en prenant la pose devant les photographes et les caméras de télévision. Les chapeaux créés par Marie Mercié, Philippe Model ou Jacques Pinturier font l'événement beaucoup plus que les chevaux, que la foule daigne regarder quelques instants avant de revenir au spectacle autrement plus divertissant de ces couvre-chefs qui rappellent les folies de la fin du XVIIIe siècle. C'est l'occasion pour les femmes les plus timides de délaisser les habits anodins du quotidien et d'arborer une tenue étonnante le temps d'un dimanche du mois de juin. Le contraste entre le genre très classique des invités et leurs parures très extravagantes laisse deviner sans peine tout le courage qui a été nécessaire pour oser l'originalité.

En Angleterre, quand le prix d'Ascot était encore la grande sortie de la famille royale, les vraies excentricités étaient rares, le style des chapeaux restait relativement mesuré. Depuis quelques années, l'événement s'étant ouvert à un public plus diversifié, la mode et ses extravagances, encouragées par les créations des modistes Stephen Jones ou Philip Treacy, pénètrent ce bastion de la tradition britannique.

Les modistes sont bien placés pour couronner de leurs fantaisies chapelières ces événements mondains. Nombreux sont ceux qui choisissent pour eux-mêmes l'originalité , comme les Français Marie Mercié ou Philippe Model, qui portent parfois eux-mêmes leurs créations. Le Britannique Stephen Jones est également un véritable excentrique dont l'élégance pleine d'esprit n'a rien à envier à celle des stars qu'il coiffe, comme Boy George ou Madonna.

Ci-dessus
Chapeau Kachina de Marie Mercié, en taupé et couteaux de plumes multicolores. 1999.

Page de droite en haut et au centre
En haut : trio de têtes empanachées à Ascot. De gauche à droite : chapeau Champ de course ; le créateur Philippe Model au Prix de Diane, à Chantilly.

Page de droite en bas
L'épouse et la fille de Jacques Pinturier portant respectivement les chapeaux Hongrie et Bouquet de moulin à vent au Prix de Diane Hermès ; chapeau Girafe et chapeau Plateau de fruits exotiques au prix de Diane Hermès, en 1997.

Ci-dessus
Philippe Model, coiffé d'une de ses créations,
à Chantilly.

Ci-dessus
Création de Stephen Jones.

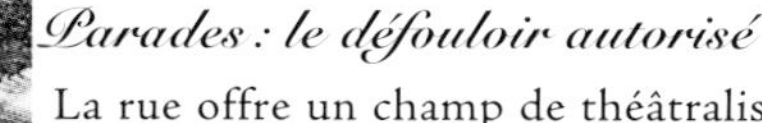

Parades : le défouloir autorisé

La rue offre un champ de théâtralisation du quotidien d'autant plus important que les règles de la vie communautaire condamnent les excentricités. Au Moyen Âge, le carnaval et l'antique fête des Fous bouleversaient à date fixe la géographie des jeux sociaux. Débauche organisée, le carnaval permettait tous les jeux de rôles et toutes les transgressions, toutes les inversions. Le pauvre prenait les habits du roi, l'homme se déguisait en femme, la femme en homme... Au XIXe siècle, un Bal des tapettes avait lieu pendant la mi-carême, et les prostituées n'hésitaient pas alors à se déguiser en Colombine, symbole de virginité.

Aujourd'hui, rares sont les carnavals qui, comme au Brésil, ont survécu dans leur sens originel. Le principe des parades américaines puis européennes les a réinventés, mais à des fins différentes. Le concept de Love Parade – qui se transformera au cours des années 1990 en une fête où le discours en faveur des homosexuels est relégué au second plan – est au départ militant. La toute première Gay Pride américaine est une manifestation destinée à commémorer un affrontement survenu entre la police de New York et les gays du bar *Stonewall* de Greenwich Village. Les trois jours de lutte de ce mois de juin 1969 sont la pierre fondatrice du mouvement homosexuel. À l'époque, les Sodomy Laws punissent encore les personnes d'un même sexe qui dansent ensemble. Il est interdit de servir à boire à un « pervers » et chaque citoyen doit porter au moins trois pièces de vêtement conformes à son genre.

La première Gay Pride européenne a lieu à Paris en 1981 et réclame la suppression du délit d'homosexualité. La Love Parade défile dans les rues de Berlin depuis 1989 et proclame, selon les mots de son fondateur, le docteur Motte, « l'entente entre les peuples et le respect d'autrui ». En 1998, le défilé ressemble à un grand spectacle organisé, avec passage de chars portant une fusée de Tintin ou un wagon de chemin de fer ! La manifestation a perdu sa spontanéité et son allure d'immense rave. Elle commence à présenter des signes de récupération, commerciale ou politique. Le sénateur à la Culture de Berlin, Peter Radunski, aurait vu dans le slogan de 1998 « One world, one future » une vision positive de la mondialisation. C'est lors de cette édition que Jack Lang annonce son rêve d'organiser l'équivalent à Paris. La Techno Parade lancée en 1998 dans la

Ci-dessus en haut et en bas
Lesbian & Gay Pride, Paris, juin 1996.

Page de droite,
de haut en bas et de gauche à droite
Lesbian & Gay Pride, Paris, juin 1996.
Costumes inspirés des mangas japonais ;
Folsom Street Fair, San Francisco, 1990 ;
Techno Parade, Paris, 1998 ; Lesbian & Gay Pride, Paris, juin 1996.

capitale française se veut une organisation découvreuse de talents musicaux. Frank Delaire, le président de la Lesbian and Gay Pride, croit en la vertu pédagogique de ces événements : « Être visible est un moyen de lutter contre la peur et de casser les fantasmes. »
Mais les parades modernes représentent plus que ces différentes professions de foi : c'est un moment de permissivité totale. « Les bacchanales de la nuit sortent au grand jour et transgressent tous les codes. Comme le ciment d'une culture contemporaine, elles donnent le sentiment d'appartenir à une communauté », affirme Henri Morel, fondateur de la Techno Parade. C'est un jeu de désir et de séduction où l'on se montre déguisé, le corps dénudé au milieu des paillettes et des masques. Largement rejointes par les hétéros, les parades jouent la pédagogie de rue en utilisant l'arme du spectaculaire pour la défense du droit à la différence et à la liberté d'expression. Sikjel Fielder, participant à la Love Parade de 1996 ajoute : « La Love Parade, c'est comme une auberge espagnole. On y trouve tout ce qu'on y apporte. Chacun peut y faire son numéro. Je suis content de voir tous ces dingues, toutes ces mamies qui les regardent et tous ces cons qui suivent le mouvement. La somme de tous ces gens, c'est comme un raz-de-marée qui t'emporte. »
Aux États-Unis, la fête du Burning Man, organisée à San Francisco dès 1985 et dans le désert de Black Rock depuis 1990, évoque des rituels antiques tels les feux de la Saint-Jean. Le principe de cet événement, où des businessmen côtoient des originaux, tient au désir puissant d'accomplir une action en groupe. Les « adorateurs » du Burning Man foncent dans le désert à bord de véhicules aussi excentriques que leurs tenues, transportant dans leurs bagages des messages totalement loufoques, par exemple pour la défense des rats dans le monde. Au bout d'une allée processionnelle, ils assistent pendant la nuit à l'embrasement spectaculaire d'une statue de bois de quarante pieds de haut. Lancé par Harvey, fondateur de la San Francisco Cacophony Society, le propos de la fête tient en une phrase : « Let's build a statue and burn it. » (« Érigeons une statue et brûlons-la. »)

Ci-dessus
Défilé de motardes lesbiennes,
« Dykes on bikes » à San Francisco. 1994.

Page de droite
Lesbian & Gay Pride, San Francisco, juin 2001.

LOVE
YOUR
PUSSY!

La rue, théâtre d'excentricités

En dehors de leurs parades, New York, Paris ou Berlin n'offrent qu'un paysage de rue médiocre, tandis que Londres ou Tokyo remportent la palme de l'originalité. À Carnaby Street dans les années 1960, sur King's Road dans les années 1980, à Camden Market dans les années 1990, les jeunes Londoniens promènent des looks insensés dans l'indifférence générale. L'excentricité britannique est paradoxalement une tradition. Baudelaire la supposait encouragée par « l'état social et la Constitution ». Edith Sitwell proposait l'interprétation suivante : « L'excentricité est un fait particulier aux Anglais, tout spécialement selon moi parce qu'ils sont convaincus de leur propre infaillibilité, emblème et patrimoine de la nation britannique. » Ne pourrait-on voir l'excentricité britannique comme une nécessité dans un pays si respectueux des traditions et des convenances ? Est-elle particulièrement à l'honneur parce qu'elle ne menace pas vraiment l'establishment ? Tout comme au Japon, la dégaine excentrique est-elle un autre uniforme échangé contre le véritable uniforme des collèges ?

Au Japon, les parents des *cosplays* et des *kokeshi* (poupées de bois) qui s'exhibent pendant le week-end à Shibuya et à Harajuku dans les tenues les plus folles, mêlant mangas, folklore, cuir clouté et tatouages, se rassurent en pensant que leur progéniture tente d'affirmer sa personnalité et son moi profond. Chaque quartier possède son propre code vestimentaire, précis, inviolable et subtil, que les spécialistes – et les adolescents – reconnaissent sans erreur. Les *kogalu* (lycéennes) auraient besoin de se libérer du strict uniforme de l'école et de se créer une identité non standardisée ; nécessité de créer mais aussi désir de s'occidentaliser, la vision traditionnelle de la société nipponne étant perçue comme un carcan invivable. Un véritable conflit oppose la génération de l'après-guerre, qui a construit le miracle économique, et la génération actuelle, qui refuse l'embrigadement et l'asservissement subis par les *salarymen*. Déjà dans les années 1980, les groupes de rock en quête de quelque producteur s'exhibaient dans le parc d'Harajuku, rendez-vous obligé des promenades dominicales. Dans une ambiance de fête foraine, les badauds venaient reluquer sans vergogne les jeunes alignés de part et d'autre d'une allée, chaque groupe tentant désespérément de surpasser le voisin par des looks farfelus.

Les excentricités des années 1990 jouent la carte du transmondialisme, en exprimant l'idée de fusion Orient-Occident : cheveux bouclés et décolorés en blond, lentilles bleues ou violettes, yeux débridés à l'*eye peti*, teint bronzé de starlette de Saint-Tropez, dreadlocks façon jamaïcaine, teint blanchi et cheveux hérissés punk, ou ombrelle et kimono traditionnels.

Dans les boutiques de Shibuya, les *charisma ten-in* (vendeuses charismatiques), du haut de leurs gigantesques bottes à plate-forme, dispensent leurs oracles aux collégiennes. Véritables intermédiaires entre les productrices de mode et les clients, elles contribuent au renouvellement infernal de collections en séries limitées, semi-personnalisées, déclinées en douze couleurs. Quant aux clients, ils refusent la perspective d'une vie professionnelle centrée sur l'entreprise et se destinent à une existence de *furita* (pratiquant les petits boulots). Ils s'approprient la rue comme un podium de défilé de mode ou de carnaval, les filles exhibant leur look provocateur protégé par leur bande d'amies.

Ci-dessus et page de droite
Dans les rues de Tokyo s'affichent les mélanges de style les plus fous : les costumes traditionnels japonais côtoient les panoplies inspirées des mangas (*cosplays*, soit « costume players ») ou des vêtements européens d'ingénue ou de punk.

Ci-dessus
Lesbian and Gay Pride, Paris, juin 1996.

Ci-dessus
Trio de jeunes travestis dans un Bal de folles dans les années 1920 à Riga en Lettonie.

La nuit

La nuit est le moment de tous les possibles, celui où la fête libère les fantasmes et où le décor place les êtres hors du temps et de l'emprise du réel. Les rêves qui peuplent notre sommeil viennent à la vie habillés de parures chimériques. En plein XIXe siècle, alors que les femmes ne laissaient pas dépasser de leurs vêtements de jour un centimètre de peau nue, la robe de bal découvrait généreusement le décolleté et les bras. Les bals travestis autorisaient toutes les extravagances. Dès le XVIIIe et le XIXe siècle, les jours de carnaval, les dames de la bonne société, protégées par un masque, allaient s'encanailler au fameux bal public de l'Opéra.

La folie des bals

Il arrive que les déguisements de fête déclenchent un véritable mouvement de mode. La fameuse « Fête de la 1 002e nuit » organisée par le couturier Paul Poiret dans son hôtel particulier de l'avenue d'Antin en 1911 lança ainsi le style oriental. Le couturier habillé en sultan donna le signal des réjouissances en libérant son épouse, déguisée en favorite de harem et enfermée dans une cage dorée. Après cette mémorable soirée, toutes les grandes dames organisèrent à leur tour des bals orientaux et portèrent turbans, aigrettes et tuniques de harem. Quant à la marquise Casati, elle imagina une fête fabuleuse en annexant la place Saint-Marc à Venise et en la transformant en salle de bal. Le périmètre central, qui délimitait l'espace privé, était entouré d'un cordon de sécurité vivant formé d'une chaîne portée par des serviteurs nubiens aux corps dorés.

Dans les années 1920, les rescapés de la Grande Guerre tentent d'oublier l'horreur en se plongeant dans le monde frénétique des nuits folles. La bonne société se risque dans les night-clubs et les nombreux dancings clandestins de la banlieue. La bande de Jean Cocteau côtoie les mondains au *Bœuf sur le toit*. Une intense activité nocturne secoue tout Paris au rythme des danses américaines et du tango. Pour Farid Chenoune, c'est là que s'invente la « nuit moderne », qui n'est plus réservée à une élite. Les ouvriers, qui ne disposent pas encore du divertissement de la télévision, sortent dans les innombrables bals musettes, fêtes foraines, maisons closes, théâtres, cinémas... Le bal du Magic City, organisé une ou deux fois par an, voit accourir les homosexuels mêlés au Tout-Paris. Dans les vestiges d'un

parc d'attractions de 1912 se retrouvent toutes les « tantes » de Paris, selon Brassaï, en l'absence de ségrégation sociale. Un chauffeur de taxi dit « la Miss », qui économisait toute l'année pour se costumer, pouvait y coudoyer sans façon un jeune baron allemand costumé en dogaresse vénitienne avec sa suite de gondoliers « beaux comme des dieux ». Après avoir affronté crânement les quolibets des curieux amassés devant le grand escalier, les folles défilaient devant un brillant jury comprenant Mistinguett, Joséphine Baker et Jean Weber...

Mais la Coffee Society organise aussi de somptueuses soirées privées. Le couple Étienne et Édith de Beaumont règne sur la scène parisienne, réussissant le cocktail explosif qui mêle gens du monde et artistes. Leur bal travesti annuel inspire à Raymond Radiguet *le Bal du comte d'Orgel*. Le jeune auteur parut un jour au Bal des jeux en smoking bardé de pipes en plâtre et d'une cible. À une autre fête, Daisy Fellowes arriva en Lohengrin attelée à une nacelle tirée par un phoque emprunté à l'Alhambra. Man Ray devait photographier les invités : « Picasso en costume de toréador, Tristan Tzara en habit baisant la main de Nancy Cunard masquée, un haut-de-forme sur la tête. J'étais en tenue de soirée, mais ma chemise empesée, mon col et ma cravate étaient aussi noirs que mon masque. Quand le comte s'approcha de moi, je lui fis peur en illuminant mes boutons de manchette ; dissimulée dans ma poche, une pile électrique allumait les ampoules, et les boutons de manchette passaient du noir au rouge. »

Un autre jeune couple, Charles et Marie-Laure de Noailles, prend le relais de ce cocktail réussi de mondanités et d'avant-garde en s'attachant la gloire montante des surréalistes. Les Noailles commandent des décors à la mesure de leur vision moderne de la sociabilité : la construction de leur villa cubiste d'Hyères est confiée à Mallet-Stevens, leur hôtel de la place des États-Unis est traité en style épuré par Jean-Michel Frank... La vicomtesse de Noailles y fait installer, parmi d'autres curiosités, un bar en zinc et une salle de cinéma. Le couple de mécènes encourage le nouvel art en commanditant *les Mystères du château du dé* de Man Ray, *l'Âge d'or* de Buñuel, sur un scénario de Dalí, et *le Sang d'un poète* de Cocteau... Pour inaugurer leur salle de projection privée, les Noailles donnent un bal futuriste. Vêtue d'une robe du soir et d'un chapeau en peau de requin,

Ci-dessus à gauche
Marie-Laure de Noailles costumée en Marie de Médicis, en robe de satin et velours noir, au Bal des artistes, le 14 février 1956.

Ci-dessus à droite
Marie-Laure de Noailles et Serge Lifar au Bal du comte de Beaumont, en juin 1939.

Double page suivante
« Bal de société », vers 1805-1810. Costumes de Turc, d'arlequin et masques. Gravure d'après un dessin de Jean François Bosio.

Marie-Laure évolue au milieu d'invités portant des combinaisons spatiales en aluminium. Man Ray décrit dans ses *Mémoires* son propre costume, bricolé « avec un sac à linge en rayonne brillante. Pour passer mes bras et mes pieds, j'en découpai les quatre coins. Je portais également un béret sur lequel j'avais posé un petit moulinet qui tournait. Je portais à la main un batteur à œufs. Ce costume était plutôt dadaïste que futuriste. Au bal, il avait l'air assez minable à côté des costumes raffinés ». L'artiste, malgré tout satisfait de son déguisement, ajoute : « Je pensais aussi protester efficacement contre les extravagances que je voyais autour de moi ; efficacement à en juger par les regards désapprobateurs que me jetaient certains invités. »
Après guerre, les bals se multiplient, la jet-set rêve de revivre les Années folles. Les infatigables organisateurs des fêtes d'avant-guerre font assaut d'ingéniosité dans le choix des thèmes, dans le luxe des décors et des costumes, comme Étienne de Beaumont et son Bal des rois ou Marie-Laure de Noailles et sa soirée La Lune sur la mer, où le couturier Christian Dior, déguisé en garçon de café, servit des verres aux invités. Le Bal des panaches, mis en scène par Christian Bérard, s'anime de toutes les aigrettes, plumes d'autruche et de paradis disponibles dans Paris !

Un autre bal fameux laissa un souvenir d'autant plus mythique qu'aucun photographe n'y était convié. Pour cet événement mémorable, organisé par Carlos de Besteigui dans son palais vénitien en 1951, les grands couturiers Christian Dior, Pierre Balmain et Cristobal Balenciaga, créèrent des costumes fantastiques. Mrs Regina Fellows, par exemple, costumée diplomatiquement en « Amérique », était suivie d'un serviteur habillé en Indien... Salvador Dalí et Christian Dior imaginèrent également l'apparition d'un nain entouré de géants montés sur des échasses... Certaines femmes, anxieuses à l'idée de rater leur entrée, commandèrent plusieurs robes ! Un second bal était offert à l'extérieur aux habitants de Venise. Christian Dior se remémorait l'événement comme « la plus belle fête que je vis et verrai jamais. La splendeur des costumes égalait presque les atours triomphants des personnages de Tiepolo peints à la fresque sur les murs ».

Page de droite en haut
Bal de l'Opéra, 1912.

Page de droite en bas
Bal costumé à Montparnasse dans les années 1920. À droite, l'artiste Foujita, reconnaissable à ses lunettes rondes, porte un maillot à paillettes et un chapeau melon.

Double page suivante à gauche
Bal costumé, années 1920, dans les Pays baltes.

Double page suivante à droite
La plus célèbre fête du Palace, « De la cité des doges à la cité des dieux », organisée par Karl Lagerfeld le 25 octobre 1978. Au premier plan, Gilles Rimbaut et Thessa Theolier.

ENTREE

Nightclubbing

Dans les années d'après-guerre, des boîtes de nuit s'ouvrent dans les anciennes caves à vins de Saint-Germain-des-Prés. Les époux Guionnet tiennent le *Tabou*, où la bande de Boris Vian, Juliette Gréco et Claude Abadie se mêle aux lecteurs de poésie lettriste et noie son mal existentiel dans l'alcool et les stupéfiants. À partir des années 1960, les grandes fêtes privées se font plus rares, mais les boîtes de nuit prennent le relais de l'extravagance et du faste. Dans le brassage des mondes de l'après-guerre, nul lieu n'existe pour que se rencontrent nouvelle bourgeoisie et mondanité traditionnelle : les clubs de Régine et de Castel répondront à cette attente. Mais les boîtes de la fin des années 1970 deviennent légendaires en ouvrant la voie du mélange des genres sociaux et sexuels. Quelques lieux ont toutefois déjà réussi ces rencontres improbables, comme le *Fiacre*, rue du Cherche-Midi, où de grands bourgeois du quartier pouvaient croiser la Callas, Zizi Jeanmaire ou Christian Dior. À New York, le *Max's Kansas City*, inauguré en 1965 au 213 Park Avenue South par Mickey Ruskin, était le point de ralliement de tout l'underground et, selon Andy Warhol, « the exact spot where pop art and pop life came together in the sixties » (« l'endroit exact où le pop art et la vie pop[ulaire] se rencontraient dans les années 1960 »). C'était autant un restaurant qu'un club, une salle de concerts et un lieu d'exposition, un lieu où il fallait se montrer : « Now people weren't going to the art openings to show off their news looks – they just skipped the preliminaries and went straight to *Max's* » (« Désormais les gens n'allaient plus aux vernissages pour afficher leur nouveau look, ils sautaient les préliminaires et se rendaient directement au *Max's* »), ajoute l'artiste.

Deux événements font date dans l'histoire du nightclubbing. L'ouverture du *Studio 54* par Steve Rubell et Ian Schrager le 26 avril 1977 à New York, et l'inauguration du *Palace* par Fabrice Emaer et Claude Aurensan le 1er mars 1978 à Paris. Au *Palace*, Fabrice Emaer entend « démocratiser le chic » sans barrière de sexes, de races ou de classes sociales. Les deux clubs, installés dans d'anciens théâtres propices à la mise en scène de la nuit, vont également être les fers de lance de la croisade en faveur de la reconnaissance de la liberté homosexuelle. Une dizaine d'années plus tard, en 1992, Susanne Bartsch organisera à New York et à Paris les mémorables soirées des Ballades de l'amour, au cours desquelles des célébrités du monde de la mode participent à un spectacle fantastique au profit de la lutte contre le sida.

Anthony Haden-Guest estime que le *Studio 54* créait littéralement des célébrités, ou bien les confirmait. Au *Studio 54*, Truman Capote aimait ce mélange de « boys with boys, girls with girls, girls with boys, black and whites, capitalists and marxists, Chinese and everything else, all one big mix » (« garçons avec des garçons, de filles avec des filles, de filles avec des garçons, de Blancs et de Noirs, de capitalistes et de marxistes, de Chinois et de tout le reste, réunis en un grand mélange »). Au milieu des célébrités piliers du club, comme Liza Minnelli, Bianca Jagger, Andy Warhol, Halston, Calvin Klein, se glissaient de parfaits inconnus, parfois socialement « défavorisés », venus de Brooklyn ou du Queens.

Quelques jours après son ouverture, le *Studio 54* fêta l'anniversaire de Bianca Jagger. Elle fit son entrée montée sur un cheval blanc conduit par un écuyer nu. Le lendemain le club était célèbre dans le monde entier, et désormais trois mille personnes allaient désespérément tenter chaque soir de faire partie des happy few invités aux fêtes. La sélection à l'entrée était la première épreuve de cette expérience unique, qui n'épargnait pas les gens célèbres. La rédactrice Hebe Dorsey, venue tout spécialement de Paris, attendit ainsi deux heures à la porte où Steve Rubell faisait parfois personnellement la sélection. Si un look extravagant aidait à entrer, on pouvait aussi bien arriver en jean qu'en robe du soir.

Ci-contre de haut en bas et de gauche à droite
De retour de soirée, Terry et Louise Doktor, Gilles et Michèle Rimbault, Anna Piaggi, Vern Lambert, vers 1984 ; Michèle Rimbault arrivant à la soirée des Oscars de la mode à l'Opéra en 1986, en robe de Balenciaga de 1951 ; soirée au Palace. Michèle Rimbault en tenue du soir vintage, vers 1982 ; à la Coupole, pendant les collections de mode parisiennes. Louise Doktor et Michèle Rimbault, qui porte un bijou de sourcils en cuir doré et strass créé par Gilles Rimbault. Vers 1984 ; portrait de Michèle Rimbault portant une tunique imprimée Vison de Jean-Rémy Daumas et un bijou de tête créé par Gilles Rimbault avec un talon de soulier des années 1920. Vers 1984 ; soirée au Palace. À la grande époque du Palace, les vrais nightclubbers, comme Michèle et Gilles Rimbault, vivaient pour la nuit et passaient plusieurs jours à créer leurs costumes de soirée à partir d'objets chinés aux puces ou de vêtements de créateurs détournés, 1984.

HACHET

Les soirées privées, qui plongeaient les invités dans les mirages de décors fantastiques, étaient les plus courues : par exemple, une soirée *Cabaret* animée par Liza Minnelli ; une autre sur le thème des clowns et du cirque en l'honneur de Valentino ; une soirée Halloween avec décor à multiples portes ouvrant sur des tableaux vivants ; un palais peuplé de vingt violonistes pour Armani ; des drag queens des ballets Trocadéro de Monte-Carlo... Selon le *New York Times Magazine*, le *Studio 54*, durant sa courte existence de trente-trois mois, a fait autant que *la Fièvre du samedi soir* pour asseoir le phénomène disco.

Les critères de choix à l'entrée du *Palace* ne favorisaient ni les jeunes ni les gens riches. La sélection se fondait sur le look. Au *Palace*, deux membres du groupe des Gazolines, Paquita Paquin et Edwige, engagés comme physionomistes, triaient les désirés et les indésirables. Les Gazolines, formés à partir des sympathisants du FHAR (Front homosexuel d'action révolutionnaire) sur les bancs des AG de la Sorbonne en 68, comptaient des « folles » comme Hélène Hazera, Maud Molyneux et Marie France, et une vraie fille, Paquita Paquin. Dignes de stars d'Hollywood, leurs travestissements traitaient la question de l'homosexualité sur un ton résolument « paillettes » autrement plus dérangeant que n'importe quel discours théorique. Pablo Rouy, un ancien, a confié à Laurent Chollet : « On n'était pas très lutte de classes, plutôt lutte de glaces, de miroirs. Tout cela, c'était quand même sur un mode très ludique, même si on faisait des tracts politiques très sérieux. » Cet aspect ludique et festif des revendications homosexuelles annonce le principe des parades de la fin des années 1980.

Au *Palace*, le maître des lieux Fabrice Emaer, resplendissant dans ses costumes confectionnés par Mine Barral-Vergèze, donnait le ton en recevant en prince dans des décors souvent créés par Paolo Calia, le décorateur de l'*Amarcord* de Fellini. Aux commandes des platines, le Cubain Guy Cuevas, première star DJ, privilégiait les musiques inédites. Les nightclubbers passaient parfois plusieurs jours à élaborer d'extraordinaires costumes pour les fêtes à thème, comme la fabuleuse fête de Karl Lagerfeld « De la cité des doges à la cité des dieux » (hommage au bal Besteigui), dans un décor du jeune Gérard Garouste évoquant la Fenice. Lors d'un Noël, Paolo Calia mit en scène la fête des Astres, avec une crèche vivante s'animant au milieu de vrais animaux. C'est lors de l'inauguration du *Palace* en mars 1978 que Grace Jones, relookée en coulisse par Yves Saint-Laurent, fit ses débuts dans la musique en chantant *Nightclubbing*, une reprise de David Bowie et Iggy Pop.

Le mathématicien et philosophe Gilles Châtelet voit dans la brève période de gloire du *Palace* de Fabrice Emaer (1978 à 1983, date de sa mort) bien plus qu'une apothéose de la fête comme melting-pot des antagonismes de la société, un mélangeur des genres, toutes origines sociales, sexuelles ou d'âge confondues. La fête Rouge et Or de novembre 1979 était conçue comme « [...] un bizutage parisien généralisé : celui des *entendidos*, des *condottieri* de la mode et des jeunes de banlieues, sans savoir d'ailleurs qui allait bizuter qui [...] ». Cette soirée aurait été « [...] la meilleure lettre de créance pour la *modernité à la française* : il fallait trouver un équilibre délicat entre le cérémonial et le bordélique, le farouche et l'élégant, pour saluer l'entrée de la France dans la société tertiaire de services ». La soirée signe la fin de l'utopie libertaire et l'entrée dans l'ère du mitterrandisme, dans « [...] celle de la Main invisible du marché, qui ne prend pas de gants pour affamer [...] ».

Ci-contre
Suzanne Bartsch. Carton d'invitation au « Penultimate New Years Eve » au Delano, à Miami Beach, 1999.

à gauche : Suzanne Bartsch. Carton d'invitation au « New Years Eve 2000 Halloween Ball », au Roxy à New York le samedi 31 octobre 2000 ;
à droite : Suzanne Bartsch.

Interview

23 mai 2001

Quand avez-vous commencé à organiser des shows, des événements et des soirées ? Que faisiez-vous avant ?

J'ai commencé en août 1987, mais mon premier grand show de mode, le premier à attirer une vraie foule, a eu lieu en 1983 au *Roxy*. Avant 1987, j'étais dans la mode. En 1981, j'ai ouvert un magasin proposant des modèles de jeunes stylistes anglais, John Galliano, Leigh Bowery, etc. J'ai ainsi créé un mouvement appelé Street fashion. En 1983, j'ai lancé une affaire de gros fournissant nombre de grands magasins aux États-Unis, comme Barneys-Bloomingdale. Pour promouvoir mes modèles, j'ai organisé à New York et à Tokyo des défilés intitulés « New London in New York » et « London goes to Tokyo », qui présentaient de jeunes stylistes anglais.

Comment décririez-vous votre travail ?

J'aime créer un environnement qui aide les gens à être eux-mêmes : théâtre, divertissement, imagination, cirque. Tout va bien, plus on est de fous et plus on rit.

Organiser ces événements, est-ce que cela ne revient pas à élever une montagne ? Quelles difficultés représentent la création d'un concept et sa réalisation ?

J'aime ce que je fais et je suis très attentive à mon travail. Je ne considère jamais rien comme acquis, et je me donne beaucoup de mal pour que les choses soient magiques pour chacun. Alors il peut arriver que ce soit difficile. Créer est facile, mais il faut de la discipline et de la concentration pour aller jusqu'au bout de l'idée. Le reste relève de l'expérience. C'est comme une recette, vous ajoutez, vous retirez, vous combinez.

Quels sont les ingrédients d'une soirée magique ?

Le mélange de gens est très important. Je ne considère jamais que la présence de mes invités va de soi. Il ne s'agit pas d'une question d'argent, il s'agit de l'expression personnelle, du sentiment d'être à sa place, c'est cela qui crée de bonnes vibrations. Il faut aussi un vaste espace, des tas de flirts et bien sûr des tonnes de déguisements.

Organiser de tels événements, c'est un peu comme introduire le théâtre dans la vie réelle, chaque participant jouant un rôle dans la pièce. Cela donne-t-il aux invités la sensation d'être les stars d'un soir ?

J'essaie de faire en sorte que les gens aient l'impression d'être partie intégrante de ce qui se passe, ce qui en retour leur donne le sentiment d'être importants. Il s'agit d'interaction : ma scène est la vôtre, vous êtes des stars.

Parmi les événements que vous avez organisés, lequel a eu selon vous le plus de succès, et pourquoi ?

Les Love balls (Bals d'amour), au bénéfice de la lutte contre le sida. Des gens de tous les horizons, riches, pauvres, homos, hétéros, du centre-ville ou de banlieue, jeunes et vieux, unis pour la même cause. Nous avons recueilli plus de deux millions de dollars, les gens ont fait le maximum. La salle était emplie d'amour. Il y avait une étrange beauté dans la douleur qui nous rassemblait pour lutter contre cette maladie.

Comment créez-vous vos costumes de soirée et de scène ? Quel est votre style ?

Catégoriquement de la tête aux pieds. Je commence par la coiffure et les talons, puis je continue entre les deux. J'aime être démonstrative et j'encourage les autres à se travestir. Mon style reflète la qualité, le féminin, les superhéros, il est inspiré et diversifié. J'adore l'inattendu.

Quelles sont vos tenues, formes, matières, couleurs préférées ?

J'aime mettre le corps en valeur, à l'aide de corsets par exemple. J'aime que les choses soient sexy, j'aime les couleurs vives, la mousseline, les plumes et les paillettes. J'aime mélanger les matières et les styles.

Le costume ne vous intéresse-t-il que dans le contexte des shows et de la vie nocturne ?

Absolument pas ! J'adore les tenues originales en toute circonstance. Quoi que vous portiez au milieu de la nuit, vous pouvez prendre votre café le lendemain matin.

Comment vous habillez-vous dans la vie de tous les jours ?

Pour simplifier, je dirais que j'ai trois styles vestimentaires : day drag, semi-drag et high drag. *Drag* est l'argot anglais pour déguisement.

Y a-t-il une différence entre être excentrique la nuit et être excentrique le jour ?

Non, pas vraiment. Peut-être un peu plus de mascara, des talons plus hauts, selon le moment.

Qu'est-ce que le costume donne de plus aux artistes sur scène, et qu'apporte-t-il aux participants non professionnels ? Comment peut-il changer notre humeur ou même notre caractère ?

Le travesti crée une énergie, offre une présence, met en valeur, donne de l'éclat. Il transfigure les gens. Se transformer équivaut à voyager, à aller ailleurs, c'est une scène en soi.

Que pensez-vous de l'opposition entre être et paraître ? Croyez-vous que l'apparence puisse être plus humaine, plus réelle, que ce qu'on appelle « être naturel » ?

Oui, l'apparence peut être plus réelle, je suis tout à fait affirmative.

Être dans le monde du show et de l'illusion est-ce pour vous juste un job ou un engagement plus complet de votre vie ?

Tout ce que je fais est une extension de ce que je suis et de ce que je pense. Je ne fais que ce que je veux, donc dans un certain sens, c'est ma vie.

Suzanne Bartsch

Les raves : le charme de l'interdit

L'avènement des raves au milieu des années 1980 va délocaliser radicalement la fête hors des villes. Le mouvement naît durant l'été 1985 dans les grandes boîtes d'Ibiza, le *Pasha*, le *Gloy's*, *Ku*, *Amnesia Maria*, où l'on consomme en abondance house music et ecstasy. Après l'été, des soirées s'organisent dans de grands hangars, sans autorisation légale. Dorénavant, le lieu – non autorisé, choisi et communiqué à la dernière minute – apporte un regain d'excitation par cette expérience de l'interdit. En France, le Tekhnival d'août 2000 rassemble quinze mille raveurs dans la petite commune de Brousses-et-Villaret.

Les raves se reconnaissent à un *flyer* dont le design rappelle l'esthétique psychédélique de ces événements, à des lignes infos qui donnent à la dernière minute le lieu de la soirée, toujours tenu secret, à la musique électronique, techno et ses innombrables variantes... Selon les auteurs de *Rituel festif*, « le flyer [...] bout de papier éphémère et luxueux synthétise tout le rêve : c'est un viatique pour une nuit magique, un rendez-vous privilégié, qu'on imagine à soi destiné... De cette orgie d'un soir, de cette débauche de bruit, de lumières, il ne restera qu'une salle vide le lendemain. Et ce bout de papier. »

La chorégraphe Isabelle Choinière associe les raves aux carnavals brésiliens, à ces fêtes initiatiques où « le corps est un espace ouvert, sans limites ni peau, allant au-delà de lui-même pour se partager dans le magma corporel que forme la masse humaine de la rave et du carnaval. [...] Par cette démesure, la rave rejoue ce rôle festif essentiel à l'équilibre psychique, physique, et rebalance les pulsions primaires encore bien présentes chez l'urbain ». On retrouve en pratique les mystères d'Éleusis et le culte de Dionysos, qui, à l'aide d'hallucinogènes, permettait de libérer les énergies. Selon Don i Donna, l'inventivité en matière vestimentaire répond à l'aspect mégalo de la fête : « Au nom de l'abandon des corps, de l'accord tacite qu'a conclu cette tribu pacifique d'une relative neutralité sexuelle, tout est permis : les gars torse nu, les filles en brassière. »

Reprenant le principe des grands rassemblements rock type Woodstock, les raves ne leur donnent pas ce sens utopique de contre-culture. Luttant contre l'isolement de l'être dans la société, elles facilitent la communication de groupe. Les raves proposent, selon Emmanuel Galland, « la mixture de la musique (son autovampirisation constante), les accoutrements débridés, le machinique et le chamanique qui font bon ménage, la danse transmutationnelle, le temps et l'espace dissous dans un rituel virtualisé, une ouverture vers un autre sexe et vers le même sexe au-delà des paramètres connus de la séduction ».

Découragées par la répression policière, les raves seront concurrencées par les after-hours des clubs. Des soirées officielles reprennent ce principe en renonçant à investir un lieu permanent, comme les soirées TGV à Paris, mais conservent le caractère vivement recommandé – voire obligatoire – d'un costume d'exception. Les « Psychopathia sexualis » organisés par Alien Nation en référence à un livre sur les déviances sexuelles exigent un *dress code* inventif, sur les thèmes « cadavres exquis », « bondage industriel » ou « Satyricon ». Quels que soient le lieu ou l'organisation, un look original ou simplement une tenue élégante remplacent avantageusement n'importe quel carton d'invitation aux soirées VIP. Dans la grisaille qui demeure la norme du paysage urbain, le moindre effort de toilette peut passer pour de l'excentricité et attirer les flashs des photographes, à l'affût d'images recréant auprès des lecteurs de magazines le sentiment de frustration d'avoir raté quelque chose.

Ci-contre en haut
Raveurs à Dreux, juin 2001.

Ci-contre en bas
Festival Technival à Paules, juillet 2001.

Double page suivante
Fête à Ibiza.

EXCENTRIQUE INDIVIDUELLEMENT

EXCENTRIQUE
INDIVIDUELLEMENT

« Ce ne serait pas la peine que la nature eût fait dans chaque homme un être unique pour que la société réduisît l'humanité à n'être qu'une collection de semblables. » *Jean Rostand*

Des personnalités excentriques

L'excentricité se comprend communément comme l'expression d'un individualisme extrême chez un personnage qui cultive le principe de distinction dans son apparence et ses actes. La force qui pousse les individualistes à transgresser les usages trouve sa source dans des destins d'exception. L'excentricité leur permet d'affronter leur destinée en ménageant harmonieusement la place de l'être et du paraître. L'excentricité aide l'individu né dans l'opulence à lutter contre l'ennui, celle qui est laide à faire oublier son physique, l'exclu ou le déclassé à s'inventer une position digne...
Ce que la nature ne leur donne pas, les excentriques l'inventent, refusant la médiocrité de la réalité. Au-delà du réel, ils créent un monde et une apparence à l'image de leurs fantasmes. Volontiers partisans de ce qui semble aux autres absurde ou inutile, ils tentent de vivre un rêve éveillé. Cocteau disait de Leonor Fini : « Tout ce qui est surnaturel lui est naturel. » Créer une image de soi hors du commun peut devenir dangereux. On croit les excentriques mythomanes, poseurs ou opportunistes. Avant sa mort, Dalí – devenu le Avida Dollars d'André Breton – se résumait ainsi : « Ma vie est un enchaînement tragique d'exhibitionnisme. »

DÉFIER LES CODES DE LA MONDANITÉ

La Castiglione

Critiques et scandales finissent par isoler l'excentrique et le plonger dans une solitude d'autant plus insupportable qu'il a besoin du regard des autres pour exister pleinement. Tel fut le destin tragique de Virginia Oldoini, comtesse de Castiglione, née en 1837, sacrée plus belle femme du monde et morte dans la folie de l'excessive contemplation d'elle-même. Indépendante et femme fatale avant l'heure, elle se marginalisa par son comportement hors normes. À son arrivée à Paris en 1855, ses toilettes osées déchaînèrent les jalousies féminines tout en nourrissant les rumeurs. À la soirée des Waleski, le 17 février 1857, « la Castiglione fut l'événement du bal. La nudité de sa gorge, qu'entourait à peine une gaze zéphyr, laissait complètement à découvert jusqu'au bout des seins. La fière comtesse n'avait pas de corset... » (Viel-Castel, *18 février 1857*, 1883). Forcée de s'éloigner de l'empereur, qui est son amant, sous le prétexte d'un attentat raté dont on l'accusait, elle retourna en Italie dès 1858. Lors de sa réapparition à Paris en 1863, la comtesse n'était plus considérée que comme une femme entretenue, vivant séparée de son mari.

Déçue dans ses ambitions de grandeur, la comtesse s'enferma dans sa maison de Passy et ne sortit dans le monde qu'en de rares occasions. Mais les quatre cents portraits photographiques réalisés avec la complicité du photographe Pierre Louis Pierson entre 1856 et 1895 – reflétant un souci d'organiser chaque apparition publique comme une spectaculaire mise en scène – cherchèrent à construire une biographie de légende. L'intrusion dans la vie réelle d'une attitude normalement réservée aux actrices de théâtre provoquait un effet de scandale. Son costume de reine d'Étrurie, avec son ample corsage drapé en péplum et ses cheveux dénoués, révolta les invités d'un bal donné aux Tuileries en 1863. Le public confondit vraisemblablement l'Étrurie avec Carthage, patrie de la sulfureuse Salammbô de Flaubert : on murmura que la divine comtesse était quasiment nue !

À partir de 1878, la Castiglione se réfugia dans une réclusion totale qui la conduisit irrésistiblement vers le thème prophétique de son portrait intitulé *Scherzo di follia* (« schéma de la folie »). Mais son fantôme ne cessera de hanter des esprits fantasques, qui lui voueront une passion posthume.

Page 94-95
Colette sur une peau de lion, 1906-1909.
L'auteur de la série des *Claudine* scandalise en apparaissant sur une scène de théâtre à moitié nue et en affichant sa liaison avec l'actrice Polaire.

Page précédente
Épreuve photographique retouchée au fusain et à l'aquarelle attribuée à Édouard Delessert. En 1863, la Castiglione se montra en habit de carmélite dans une grotte sur les murs de laquelle on lisait « Ermitage de Passy » tandis qu'un violoniste jouait la *Marche funèbre* de Chopin. Sous les sifflets déchaînés par cette image pathétique, elle s'enfuit, déchirant sa robe et criant : « Ils sont infâmes ! ».

Page de droite
La comtesse de Castiglione costumée en reine d'Étrurie, 1863.
Épreuve photographique rehaussée à la gouache de Pierre Louis Pierson.

L'esthète Montesquiou

Le comte Robert de Montesquiou se comptait parmi les esthètes fascinés par « la belle des belles ». Il attendit le décès de la divine comtesse pour aller contempler « ce grave visage de morte ». Lors de la vente après décès, il acquit des reliques de son idole – chemise de nuit, moulage de ses pieds et de ses bras, soulier, photos –, qu'il déposa sur un autel votif. Le comte souffrait, comme sa muse, d'une sorte de décalage mondain permanent. Un complexe de déclassé éclairerait le comportement excentrique d'un aristocrate qui ne ratait pas une occasion d'évoquer l'histoire illustre des Montesquiou afin de mieux masquer l'origine bourgeoise de sa mère, Pauline Duroux. Sa carrière artistique et littéraire l'exclut de sa famille, son propre père méprisant ses prétentions d'auteur. Rejeté par l'aristocratie à cause de son comportement bohème, il était aussi méprisé par le monde littéraire et artistique, qui le considérait comme un gentilhomme dilettante. Edmont de Goncourt disait de lui : « Oh ! mon Dieu, si Montesquiou-Ferenzac était un bohème comme Villiers de l'Isle-Adam était un fréquenteur de brasseries, on le trouverait peut-être un poète extraordinaire. Mais il est bien né, il est riche, il est du grand monde : on ne le trouve que baroque ! » Mais cette exclusion même lui donna l'indépendance nécessaire au développement de ses talents créatifs. Son œuvre littéraire prolifique reflète l'exubérance d'une vie privée vouée à la poursuite d'un idéal esthétique.

Sa première apparition en public, lors d'une conférence en 1894, fit sensation. Sa haute et mince silhouette racée, sa gestuelle chorégraphique, sa diction parfaite, ses « toilettes symboliques, extrêmement chics », en imposèrent à l'auditoire. Jeune, sa fantaisie lui faisait préférer l'exotisme d'un smoking taillé dans un tissu japonais. Plus âgé, il recherchait la distinction de costumes aux détails curieux mais discrets : couleurs changeantes, redingote abricot pour le dîner en ville, redingote grise accompagnée d'un bouquet de violettes pour la journée, complet gris à revers feuille morte et cravate rouge vif. Comme la Castiglione, Montesquiou eut recours à la photographie pour léguer à la postérité son image, qualifiée par son ami Proust de « professeur de beauté ».

Ci-dessus
Le comte Robert de Montesquiou, par Giovanni Boldini, 1897. Huile sur toile, 160 x 82,5 cm. Musée d'Orsay, Paris.

Page de droite
« Le Prince Houssin ou le Poête ». Le comte Robert de Montesquiou en prince Houssin des Mille et Une Nuits. Cyanotype collé sur carton bleu, rehauts d'aquarelle dorés, citation des Milles et Une Nuits et quatrain autographe de Montesquiou. Château de Charnizay, 1885. Paris, Bibliothèque nationale de France.

aussitôt on
est transporté,
avec les tapis,
où l'on souhaite
d'aller, et l'
on s'y trouve
presque dans
le moment,
sans que l'on
soit arrêté
par aucun
obstacle.
Le Prince Houssain
Les Mille
et
une
Nuits.
Vers le ciel où son oeil voit un trône splendide
Le Poète serein lève ses bras pieux
Et les vastes éclairs de son esprit lucide
Lui dérobent l'aspect des peuples furieux.

L'étrange marquise Casati

Robert de Montesquiou se plaisait à considérer la comtesse Greffulhe, Ida Rubinstein et la marquise Casati comme des réincarnations vraisemblables de la Castiglione. La Casati, qui habita le palais Rose, où Montesquiou avait vécu, possédait quelques objets de la comtesse qu'elle porta lors d'un bal en 1924 où elle apparut costumée en Castiglione par Erté. C'est en 1903 que sa rencontre avec Gabriele D'Annunzio fit basculer sa vie dans l'étrange. Le poète dandy, qui collectionnait les maîtresses avec la même frénésie que les vêtements, se fit bâtir un décor à la mesure de son génie. Illustrant un mythe viking qui veut que ce peuple ait navigué sur les montagnes, il fit installer dans les jardins de son palais de Vittoriale la proue d'un véritable navire, le *Puglia*, sur lequel il avait fait la guerre. On raconte que le « Prince de la décadence » fut, en tant que Pygmalion, responsable de la métamorphose de l'ancienne épouse timide et réservée en une sorcière au charme occulte et dévastateur. Ses cheveux bruns virèrent au rouge, son regard s'assombrit grâce à l'emploi dangereux de gouttes d'atropine, qui dilatent les pupilles au risque de rendre aveugle...
Man Ray la décrivit ainsi : « Je reçus la visite d'une grande femme imposante, vêtue de noir, aux yeux énormes, accentués par un crayon noir. Elle portait une capeline de dentelle noire et pencha légèrement sa tête en passant la porte, comme si elle était trop basse pour elle ». Marinetti ajoutera : « Elle avait l'air satisfait d'une panthère qui aurait avalé les barreaux de sa cage ». Disposant d'une immense fortune héritée de son père industriel et du nom prestigieux d'un mari rapidement délaissé, la marquise donna vie à tous ses fantasmes. Des lévriers « parés de colliers de turquoise » et une ménagerie exotique de singes et de félins occupaient les salons de sa villa. Elle ne se déplaçait jamais sans son boa constrictor, une panthère au bout d'une laisse en diamants et Garbi, son serviteur noir géant, « en turban et gilet, portant un parasol de plumes de paon au-dessus de la tête de sa maîtresse ». Si son allure vestimentaire était plutôt baroque, son sens de la décoration fit des émules qui reproduisaient le style dépouillé de son intérieur, avec ses vases d'albâtre illuminés du dedans et ses éclairages indirects... Elle était souvent vêtue de noir, sa tête disparaissant sous des « chapeaux hauts de forme en peau de tigre, ou de vastes corbeilles à papiers dorées renversées sur sa tête ». Parée de somptueux costumes conçus par Léon Bakst, Mariano Fortuny ou Paul Poiret, elle présidait à des fêtes magnifiques : « Les arbres de son jardin avaient été peints en or, et elle recevait ses invités en compagnie d'un python de trois mètres enroulé autour de sa personne. » Mais toutes les belles fortunes finissent par s'user dans l'exercice des magnificences. La marquise termina sa vie complètement ruinée, ses yeux fatigués dissimulés derrière une voilette noire.

Page de gauche
La marquise Casati, par Ignacio Zuloaga, 1922. Le portrait exprime toute l'étrangeté de l'attitude et du regard mystérieux de la marquise, accentuée par des gouttes de belladone et le maquillage. Museo Zuloaga, San Sebastian, Espagne.

Ci-dessus
La marquise Casati costumée en Sissi, impératrice d'Autriche, pour le Bal des tableaux célèbres organisé par le comte et la comtesse de Beaumont en juillet 1935. La marquise pose pour Man Ray en tenant une cravache, devant une toile de fond représentant les chevaux de l'impératrice.

DÉFIER LA MODE

Peggy Guggenheim

Le palais vénitien Vernier dei Leoni de la Casati trouva un successeur à la hauteur de sa réputation d'excentrique en la personne de Peggy Guggenheim. Installée en 1948 dans cet étonnant palais inachevé, Peggy Guggenheim laissa libre cours à sa passion pour l'art contemporain en organisant des expositions fracassantes et des dîners semblables à des happenings qui finissaient en bagarres sanglantes. Son palais renfermait notamment une collection de sculptures dédiées au thème du phallus. Celle qui, dans sa jeunesse, avait porté les robes orientales de Paul Poiret et les tuniques *Delphos* de Mariano Fortuny arborait en vieille dame indigne des accessoires manifestes d'artistes, les boucles d'oreilles « mobiles » de Calder ou les très surréalistes lunettes ailées en bronze de Hans Arp.

Devancer la mode

Plusieurs femmes du monde, grâce à la liberté que procure la fortune, ont osé des innovations qui ont fini par s'imposer comme la dernière mode. Mrs Lydig fut la première femme à porter une robe du soir décolletée dans le dos jusqu'à la taille. Chez les sœurs Callot, Rita Lydig distribuait des émeraudes aux essayeuses qui drapaient sur elle des robes d'un style hors du temps, en brocart et dentelles anciennes. Le mystérieux Yanturni, conservateur du musée de Cluny, lui ciselait dans des velours du XIe et du XIIe siècle des souliers dont les embauchoirs étaient fabriqués avec le bois précieux d'un stradivarius...

Mrs Daisy Fellowes était considérée dans l'entre-deux-guerres comme la femme la plus élégante du monde. Et pourtant, partisans de l'irrévérence, ses choix vestimentaires s'éloignaient toujours de la coutume, lançant la mode des smokings, des robes de lainage pour le soir, des gants de coton et des pyjamas d'hôtesse. Cecil Beaton raconte qu'elle « aimait à mettre les autres femmes en posture d'extravagance et, dans une réunion où chacune s'était habillée à "tout casser", on la voyait paraître dans une petite robe de toile ». Pour la plage, elle portait un maillot de bain et se couvrait de bijoux. Invitée au palais de Buckingham, elle voulut se soustraire à l'étiquette de l'usage imposé du blanc. Pour justifier son arrivée à la Cour vêtue de noir, elle prétexta le deuil d'un cousin déniché dans son arbre généalogique au cinquième degré !

C'est au département des antiquités grecques du Louvre que la danseuse Isadora Duncan trouva la révélation de son art. Vêtue au quotidien de tuniques grecques et de cothurnes, elle restituait dans ses chorégraphies la magie des figures antiques. Selon elle, la danse devait « délivrer les gens de leurs entraves pour qu'ils soient révélés à eux-mêmes et découvrent la part de divin qui est en eux ». Invitée par le gouvernement russe à fonder une école de danse, elle ne passa pas inaperçue lors de son arrivée à Moscou en 1921 : la déesse, les cheveux teints en rouge, avait remplacé ses voiles blancs par de longues robes et écharpes rouges !

Ci-dessus
Peggy Guggenheim et ses lunettes papillons signées Hans Arp, posant à Venise sur le toit de son palais, 1950.

Les plumes de l'extravagance

Colette, la marginale

Pour l'écrivain excentrique, le costume est plus qu'une mise en dérision des usages de la mondanité. Il est le portrait moral et commenté de l'auteur, le prolongement de l'écrit, la mise en réalité de l'habit de la fiction. Colette, qui se familiarisa avec le monde de la mode en jouant l'esthéticienne dans les années 1920, refusa très tôt les froufrous et les corsets de la Belle Époque. Elle leur préférait le costume de petit marin ou le voile de Loïe Fuller : « Un seul renversement de mes reins ignorants de l'entrave ne suffit-il pas à insulter ces corps réduits par le long corset, appauvris par une mode qui les exige maigres ? »

En 1894, Willy, son mari et initiateur en littérature, lui fit écrire *Claudine à l'école*, succès littéraire qui lança aussitôt une mode vestimentaire d'ingénue. Puis, cheveux coupés courts, habillée en homme, Colette affichait sa liaison avec Missy, marquise de Belbœuf. La police arrêta les deux jeunes femmes lorsqu'elles se produisirent au *Moulin-Rouge* en 1907. Divorcée, laissée sans ressources par un mari qui avait signé ses livres à sa place, l'écrivain osa se produire à moitié nue sur les scènes de théâtre.

En haut, à gauche et à droite
Dès 1900, Colette posant en costume marin, cigarette à la main, préfigure l'attitude crâne des garçonnes des années vingt
Avec sa coiffure de petit faune, elle devance largement la coupe courte, signe de liberté adopté par les femmes modernes.

Pierre Loti, « petite fleur tropicale »

Voyageur infatigable et génial conteur, l'écrivain français Pierre Loti s'habillait en Turc ou en mandarin chinois. Anna de Noailles, quand elle rencontra le « Bouddha respirant », fut d'abord déçue par cet « homme petit, anxieux de son apparence, haussé sur des talons qui déformaient ses pieds ténus ». Mais la jeune fille, émoustillée par la réputation de séducteur de Julien Viaud, surnommé Loti (petite fleur tropicale) par les suivantes de la reine tahitienne Pomaré, fut séduite par « la saisissante beauté du regard ». Son portrait photographique – envoyé en souvenir – le montrant « demi-nu, les bras en croix, les hanches serrées par un pagne, dans l'attitude extasiée des fakirs », acheva de la convaincre de son charme exotique.

Georges Poisson a décrit son extraordinaire propriété de Rochefort, dont la façade banale cachait un incroyable dédale de pièces reliées par des couloirs. Chacune était composée d'éléments authentiques mêlés à des décors : mosquée reconstituée à partir des vestiges de la mosquée des Omeyyades achetés à Damas et renfermant la stèle mortuaire d'une de ses maîtresses circassienne ; salon turc ; chambre arabe ; petit minaret en

haut duquel son serviteur imitait le chant du muezzin ; pagode japonaise... Dans le salon gothique, Loti donna en 1888 une soirée « Louis XI » où il offrit à ses convives déguisés un spectacle de mystères et un dîner de pâtés géants d'où jaillissaient des nains. Ces réceptions étaient de scrupuleuses reconstitutions qui se déroulaient selon un scénario préétabli en harmonie avec le lieu. Une de ses mises en scène faillit provoquer un scandale diplomatique, quand il fit croire à ses invités qu'il recevait une princesse d'Extrême-Orient. L'ambassadeur, qui était présent, manqua de perdre la face en découvrant que la princesse n'en était pas une et que son rôle était tenu par un jeune homme ! Loti, cet être profondément neurasthénique et désenchanté, pourtant surnommé l'« Enchanteur », tenta dans ce domaine dédié au passé de « prolonger tout ce qui est fini ».

Ci-dessus
Pierre Loti habillé en Turc pose dans la mosquée reconstituée à l'intérieur de sa maison de Rochefort. Épreuve ancienne.

« L'excentricité est un fait particulier aux Anglais, tout spécialement selon moi parce qu'ils sont convaincus de leur propre infaillibilité, emblème et patrimoine de la nation britannique. » *Edith Sitwell*

British & eccentric, ou le sentiment d'infaillibilité

De tout temps on a accordé une légitimité à la nation britannique en matière d'excentricité. L'historien James Chambers rappelle que, dès le XIXe siècle, John Stuart Mill s'opposait aux philosophes européens qui voyaient l'excentricité comme une menace au bon ordre du monde. Les Anglais au contraire la comprenaient comme « le symptôme du génie et de la virilité de la société ». L'éducation prodiguée par les *publics schools* les préparait à cela, la vie en communauté développant le sens de la tolérance. Aujourd'hui, fidèle à cette tradition, l'establishment est fier de compter parmi ses membres des excentriques dont les plus valeureux auront l'honneur, après leur mort, de figurer dans la fameuse rubrique nécrologique du *Daily Telegraph*.

Edith Sitwell

Edith Sitwell est l'auteur britannique qui a su donner l'idée la plus juste de cette spécialité anglaise, en écrivant, en s'habillant et en vivant d'une façon excentrique. Tout comme son œuvre littéraire largement tournée vers le passé, elle revêtait, dès les années 1920, des habits d'inspiration historique taillés dans des tissus d'ameublement qui la faisaient ressembler aux portraits de Piero della Francesca. Elle assurait qu'elle ne pourrait jamais porter de tweed, sous peine de ressembler à un lion déguisé en lapin ! Mais le public était partagé entre ceux qui trouvaient à l'écrivain une noble extravagance et ceux qui ne voyaient là que pose maniérée. L'auteur d'*English Eccentrics* se croyait laide mais ne voulait pas avoir l'air autrement. Ses mains, toujours très soignées et chargées d'énormes bagues, devaient lui tenir lieu de visage (« My hands are my face ! », (« Mes mains sont mon visage ») dit-elle dans *The Observer*).

Dans *English Eccentrics*, publié en 1933, véritable collection d'histoires d'ermites ornementaux, de charlatans, d'alchimistes, de voyageurs ou d'aventuriers, elle présente l'excentricité comme le suprême exemple d'ordinaire élevé à un degré de perfection. Le passage sur les ermites ornementaux est particulièrement stupéfiant. Les aristocrates anglais aimaient à « posséder » un ermite à longue barbe blanche, vêtu d'une robe de bure, qu'ils installaient dans une cabane au fond de leur parc. Edith Sitwell insiste sur le cas remarquable d'un ermite ornemental non salarié, un amateur, qui vécut de 1848 à 1863 dans le village de Newton Burgsland. Bien que logé confortablement, il s'était arrogé ce titre parce que « de

Ci-contre
Edith, Osbert & Sacheverell Sitwell, 1931, photographiés par Cecil Beaton.

tout temps, les vrais ermites ont été des fauteurs de liberté ». Pourvu de l'indispensable barbe blanche, il était à la tête d'une garde-robe de vingt chapeaux et douze costumes. La forme de chaque costume devait symboliser le sens d'une devise. Le costume dit d'« Étrange personnage », en coton blanc, était retenu à la taille par une ceinture blanche et s'ornait d'un cœur portant les mots « libre conscience ». Le chapeau blanc qui allait avec arborait « bien nourri », « bien payé », « bien vêtu », « tous au travail ». Son jardin dessinait un parcours symbolique encore plus tarabiscoté. Sur le passage qui y conduisait étaient placés les trois sièges de la recherche de soi, portant les questions « suis-je vil ? », « suis-je hypocrite ? » et « suis-je chrétien ? ». Le reste du jardin était rempli de charmilles et d'une foule de devises, d'images d'apôtres, de tertres tombeaux des martyrs protestants, de représentations de l'Inquisition et du purgatoire et, au milieu, un grand bac et un pupitre servaient de chaise et de lutrin. L'ermite y haranguait les foules, assurant que le pape était l'Antéchrist, et, ajoutant un ultime symbole à sa parole, pendait une bizarre effigie papale à une potence.

Un autre Britannique fantasque décrit par Osbert Sitwell comme « dilettante in the very best sense » (« dilettante dans le meilleurs sens du terme ») est Gerald Tyrwitt, devenu lord Berners en 1918. Écrivain, peintre et compositeur de trois marches funèbres pour un chef d'État, un canari et une riche tante, il prenait le thé avec un cheval et teignait les pigeons de son parc aux couleurs de l'arc-en-ciel. Sa prédilection pour les masques s'illustrait par cette maxime : « Mon visage m'ennuie. Parcourir le monde avec le même visage est aussi lassant que parcourir le monde vêtu du même costume. »

Stephen Tennant

Parmi les ancêtres des excentriques anglais se distingue aussi Stephen Tennant, un contemporain d'Edith Sitwell. À l'âge de cinq ou six ans, il aurait répondu à la fatale question sur son avenir « je veux être une grande beauté ». La nature exauça ses souhaits, le jeune Tennant était comparé à un Fra Angelico et posait devant la caméra d'un Cecil Beaton subjugué. La blondeur de sa chevelure entretenue avec de la poudre d'or était rehaussée dans le cadre de sa chambre transformée en grotte argentée, où se promenaient ses reptiles, dénommés Gloria Swanson et Greta Garbo. Son goût pour les vêtements excentriques ne s'arrêta pas le jour où il devint obèse : on put alors le rencontrer boudiné dans un mini-short rose, sans complexes.

Quentin Crisp

Quentin Crisp, enfin, artiste, écrivain, danseur de claquettes, modèle, a prêché dans sa vieillesse l'idée de style de vie comme le meilleur remède pour guérir le monde de sa liberté excessive, cause selon lui de tous ses malheurs. L'auteur de *How to Become a Virgin* croyait que notre identité vient autant de notre manière de nous percevoir que de celle dont les autres nous perçoivent. Son autobiographie *The Naked Civil Servant*, publiée en 1968, l'a révélé comme l'homosexuel le plus célèbre de toute l'Angleterre. Malgré son apparence ambiguë de vieille folle, qu'il entretint jusqu'à sa mort en 1999 moyennant une heure et demie de maquillage tous les matins, il scandalisa en présentant l'homosexualité comme une maladie.

Page de gauche
Edith Sitwell, vers 1951. La pose et les énormes bagues mettent en valeur la main fine de l'écrivain, seule partie de son corps qu'elle jugeait belle.

Ci-dessus
Quentin Crisp, New York, 1999.

Rares excentriques de la mode

Les couturiers qui président au futur de la mode sont peu nombreux à risquer pour eux-mêmes une mise excentrique. L'identité originale des styles créés par Karl Lagerfeld, Vivienne Westwood, Jean-Paul Gaultier, Alexander McQueen, Jeremy Scott, John Galliano, Stephen Jones, Jean-Rémy Daumas ou Walter Van Beirendonck reste indissociable de leur apparence costumière et témoigne de leur sincérité. D'autres au contraire renoncent à créer une image originale d'eux pour mieux se dédier à celle des autres. Azzedine Alaïa apparaît ainsi perpétuellement vêtu d'un costume chinois noir. Le couturier parisien reprendrait-il à son compte l'utopie du vêtement unique imaginé par Thomas More en 1516 : « Tandis qu'ailleurs il faut à chacun quatre ou cinq habits de différentes couleurs, autant d'habits de soie, et aux plus élégants au moins une dizaine, les utopiens n'ont aucune raison d'en rechercher un aussi grand nombre » ?

Si l'originalité constitue un quasi-uniforme de travail pour le styliste de magazine, elle est beaucoup plus rare chez les critiques de mode. La tenue de travail acceptable de la rédactrice de mode se conforme prudemment à la tendance du moment. Quelques personnalités font exception, comme Anna Piaggi, rédactrice de *Vogue Italie* et véritable icône de la mode, dont chaque apparition constitue un événement. Son allure est le résultat très élaboré d'une composition dans laquelle aucun détail n'est laissé au hasard. Avant chaque voyage, ses tenues sont essayées, photographiées puis analysées sur Polaroid avant d'être rangées dans les valises. Son système d'élégance repose sur l'art subtil du mélange : des créations de ses amis couturiers Karl Lagerfeld ou John Galliano, des chapeaux de Stephen Jones, rejoignent des vêtements ethniques, des costumes de théâtre, des uniformes, des habits et accessoires d'origine modeste. La tenue portée dans sa cuisine pour fabriquer des spaghettis rivalise en extravagance avec ses tenues de sortie. En guise de chapeau, elle porte une carapace de tortue basculée à droite. Une canne, un éventail, un face-à-main, une ombrelle, un drapeau ou une badine servent d'objets de contenance et aident à la création de poses parfaites qui permettent aux photographes de ne jamais rater une prise. Anna Piaggi cite volontiers John Galliano : « On doit traiter les vêtements et les accessoires comme des amis ! »

Ci-dessus
Antigone Schilling, collectionneuse et journaliste de mode et beauté, posant avec une de ses créations, un chapeau surréaliste : mains de velours noir tenant une cigarette, 1990.

Page de droite
Antigone Schilling dans une tenue d'enfermement, robe de Marc Audibet et chapeau bandelettes d'Antigone, 1990.

Page suivante
Walter van Beirendonck. Portrait du créateur belge par Jean-Baptiste Mondino.

Page 115
John Galliano. Portrait du créateur britannique par Mario Testino, 2001.

Isabella Blow, rédactrice du *Sunday Times* qui porte les bijoux homard strassé d'Erik Halley, voit l'acte de se vêtir comme un des derniers rituels et « vit sa vie comme un film ». Le journaliste japonais Take, spécialiste du vintage, voit dans le vêtement l'expression même de la liberté et un moyen merveilleux de communiquer avec les gens. Antigone Schilling, rédactrice de mode française, collectionneuse de vêtements de créateurs, créatrice de chapeaux elle-même, conçoit son habillement bizarre comme un remède à la morosité du quotidien. Le sens du bizarre, le mépris des notions d'élégance et de séduction traditionnelle propre aux créations de Rei Kawakubo de Comme des Garçons, lui font faire des folies. Elle porte les modèles les plus étonnants avec des chapeaux de sa composition. Citant Elsa Schiaparelli, elle en donne la signification : « C'est un point sur un i, mais un i qui serait de travers. Ce qui compte c'est l'effet de surprise, le ridicule n'a jamais tué ».

Alexandre Vassiliev, décorateur, collectionneur, professeur et historien de la mode, compose ses tenues théâtrales comme l'image sublimée et attendue de son état d'artiste. Marthe Desmoulins ne crée son apparence vestimentaire que pour elle-même, mêlant sa nostalgie des années 1920 et 1930 à la découverte de jeunes talents dont elle assure la promotion dans sa boutique parisienne, *Absinthe*.

La passion de la mode est un véritable élixir de jeunesse : la presque centenaire Jerry Gischia est une égérie de mode qu'Issey Miyake considère comme son meilleur mannequin. Chapeautée d'extravagants bibis en forme de pyramide-accordéon ou de cadeau d'anniversaire, couverte de bijoux spectaculaires, vêtue des créations les plus étonnantes, ses apparitions dans les défilés de mode font sensation. Cette puriste affirme n'aimer que le total look des créateurs, considérant que les mélanges nuisent à l'intention artistique contenue dans leurs créations. En 1962, déjà âgée d'une cinquantaine d'années, elle adopte avec enthousiasme le style révolutionnaire d'André Courrèges. Un soir dans une boîte de nuit, elle se risque en combinaison collante de maille blanche et micro-jupe de dix-huit centimètres de haut. Une dame lui décoche un « Pornographia ! », elle lui rétorque : « non madame, Courrèges ! »

Ci-dessus à gauche
Jerry Gischia habillée par Issey Miyake, 2001.

Ci-dessus à droite
Alexandre Vassiliev, décorateur, costumier, professeur d'histoire de la mode et collectionneur de costumes, de mobilier et d'objets d'art des XVIIIe et XIXe siècles.

Page de droite
Anna Piaggi, habillée par John Galliano et coiffée d'un chapeau de Stephen Jones.

Page 120
Jean-Rémy Daumas. Portrait du créateur ayant servi de carte d'invitation à son défilé sur le thème « Neige » en 1986.

Page 121
Portrait du créateur américain Jeremy Scott. 1999.

FASHION ALGEBRA

Interview

7 juillet 2000

Comment est née votre manière de vous habiller ?

En réalité tout est à la surface, simple et naturel, pas trop rationnel. C'est une question d'apparence : peut-être que je synthétise d'une manière indirecte ma façon d'être.

Vos vêtements symbolisent-ils votre état d'esprit ?

Parfois ils peuvent avoir quelque chose d'historique. En ce moment, ce serait le souvenir des années 1970 et 1980.
Mon look composé d'un ensemble en jean de Vivienne Westwood et d'un chapeau tricolore me rappelle un séjour à New York, quand j'ai acheté une broche en forme de drapeau avec Andy Warhol au cours d'une ballade-shopping… Le graphisme, les symboles, ce qui est très dessiné, l'illustration, m'inspirent énormément.
Je suis très à l'aise avec le retour actuel au graphisme. C'est quelque chose qui comble le vide, qui casse l'horreur du vide ! C'est très lié à mon travail sur le graphisme des pages de Vogue Italie. Mon goût pour la calligraphie, les lignes, les mots, la géométrie de la mise en page et ses fantaisies, tout ce qui constitue l'assemblage d'une page, m'aide à composer mes looks.

Avez-vous toujours travaillé dans la mode ?

Oui, presque toujours. J'ai commencé à travailler très tôt. J'ai fait différentes choses. Après une formation académique, j'étais traductrice (d'abord classique, Socrate par exemple, puis de la science-fiction). Je suis devenue journaliste par un hasard de la vie, à la suite du remplacement d'une secrétaire. À partir de là, je me suis concentrée sur les images etl'aspect visuel des magazines de mode.
En compagnie de mon mari photographe, Alfa Castaldi, nous avons développé une même attitude dans le travail de l'image. Nous avons traversé des périodes où nous n'aimions que le 21 mm, puis le 35 mm, puis le *fish-eye*. Nous vivions une sorte de romantisme culturel dans la photographie.

Avant de travailler dans la mode, vous habilliez-vous d'une façon particulière ?

Oui, sans en avoir conscience. C'était facile, j'étais beaucoup plus mince, je pouvais mettre n'importe quoi. La radicalité de ma mère n'était pas tellement une contrainte. Quand je suis partie à Londres, j'ai changé de style. Je cherchais mes vêtements partout, dans les ventes aux enchères, dans les magasins de robes anciennes, chez mon ami Vern Lambert, qui avait un espace Stall au *Chelsea Antique Market*, et j'étudiais ainsi l'histoire de la mode. J'ai appris en essayant les vêtements, en me changeant plusieurs fois par jour. J'ai ensuite continué à vivre la mode dans l'actualité, en allant voir les collections. Je ne veux jamais vivre la mode d'une manière abstraite, mais m'inspirer de l'air du temps. Je vais beaucoup dans les backstages, je vois ainsi les créations de près, je respire l'essence des choses, je me recharge continuellement par ce que j'observe. Je n'invente jamais complètement. Il serait vain de se croire très créative. C'est toujours une assimilation de l'oxygène qui est dans l'air de la mode. Ce que je fais d'instinct a beaucoup à voir avec les mots, les gestes de la mode, peut-être même avec un peu de sémiologie et de symbolique. Ensuite, ce que je construis doit se passer d'une manière instinctive. Enfin, le miroir donne l'ultime réponse.

Quelles sont vos préférences dans la mode ?

La façon de juger la mode a beaucoup changé. L'ambiance, l'esprit, le goût, le style, l'exaltation de la banalité parfois, une technologie nouvelle, de nouveaux critères permettent d'appréhender la mode. Il faut s'immerger dans une autre réalité et comprendre les raisons pour lesquelles ça a été fait. Et surtout il faut projeter dans le futur ce que l'on voit, et dans d'autres moyens d'expression. Cette saison par exemple (collection haute couture hiver 2000-2001 présentée en juillet 2000 à Paris), en regardant les défilés, j'avais une obsession, les pixels. Je disais à mon photographe « il faut traduire tout cela en pixels ». Nous parlions tout le temps en termes de « haute définition », de « basse définition »… Je pensais en pixels ! Avec cette idée, j'ai trouvé le mot de la saison pour ma rubrique dans Vogue.

Comment vivez-vous le regard des autres sur vous ?

Je n'y ai jamais fait attention. Mais, ce que je perçois, c'est plutôt l'indulgence, la tolérance, l'amitié, quelque chose d'affectueux, surtout à Paris. Les gens vous remercient de vos efforts. Une dame l'autre soir me disait combien j'avais un sourire amical,

Anna Piaggi en « XVIIIe siècle postmoderne », vers 1989.

des choses aussi simples que cela. S'il y a des regards critiques, je ne les ai jamais vus. Non, les gens m'envoient des signaux de gentillesse et de tendresse. Quand on est moins jeune, la tolérance, l'amitié, tout cela évite d'attraper des rides !

Où trouvez-vous les éléments de votre garde-robe ?

Un peu partout. Je vais chez les créateurs, dans des magasins de costumes anciens, mais aussi à Canal Street, à New York, où je trouve les copies de Vuitton, de Cartier ou de Fendi. J'achète aussi beaucoup à Londres et à Paris, et par téléphone. C'est le cas de ce dernier achat, cette cape du soir des années 1920. Parfois il suffit de peu de chose pour créer un look intéressant. Comme dans une sauce, un petit élément peut suffire à lier l'ensemble.

Êtes vous naturellement portée vers le mélange des contraires ?

Bien sûr, c'est la gymnastique de la mode actuelle. Cela consiste à ne pas donner trop d'importance aux choses, à utiliser les objets comme les pièces d'un jeu d'échecs. Parfois, le détail important peut être une invention faite avec rien, comme un chapeau en papier de Stephen Jones. Parfois ce sera une baguette magique d'un déguisement d'enfant, objet auquel je vais attribuer une grande importance pendant dix minutes !

Les créateurs font-ils des modèles spécialement pour vous ?

Oui. Pour la soirée de lancement de mon dernier livre, au musée des Arts décoratifs à Paris, Castelbajac m'a fait une robe en forme de livre. Les pages étaient en soie peinte par une artiste, avec des mots extraits du livre. Nous avions réfléchi ensemble à ce projet de robe, et pensé à créer une robe crinoline avant de retenir cette idée de livre vivant.

Est-ce que vos tenues constituent une préoccupation quotidienne ?

Oui, j'y pense et parfois j'improvise. Parfois je décide à l'avance, avec l'aide de Roberto Pagnini. De temps en temps, si je dois aller quelque part, nous créons un look ensemble. Nous le préparons à l'aide de Polaroid pour vérifier son effet. Dans ce cas, c'est un processus réfléchi, une sorte de discipline, un travail programmé. C'est une façon de se projeter dans certaines situations. Pour les voyages, ce système de composition des looks à l'avance est presque nécessaire, à cause des bagages qui ont tendance à être envahissants. Roberto m'assiste ainsi depuis douze ans : nous imaginons les tenues, le maquillage et les coiffures, mais en réservant une marge d'invention qui dépend de ce que l'on voit sur place. On programme bien les pages d'un magazine à l'avance, alors pourquoi pas les vêtements que l'on va porter ! Lorsque Karl Lagerfeld faisait des croquis de moi pour un livre de dessins paru en 1986, nous n'avions jamais programmé les tenues, j'ai donc voyagé avec des quantités énormes de bagages, six ou sept malles pleines de tout. Aujourd'hui, j'aborde la question de mon vêtement d'une manière plus synthétique, comme dans mon travail. Il faut savoir « se mettre en page », si on peut toutefois se considérer soi-même comme une page !

Est-ce une manière de théâtraliser le quotidien ?

Je ne sais pas. Depuis que je m'habille avec attention, c'est devenu automatique. Les pièces de ma garde-robe ont toutes un certain caractère. Mais j'ai une vie normale. Bien sûr, je ne mets pas de crinoline pour aller au supermarché. Je possède des éléments de base, comme le chapeau, la canne, la lorgnette. Ils m'aident à remplir le vide avec des éléments qui rassurent, ils créent une symétrie dans la symétrie. Ce sont des éléments de jeu sur lesquels je peux m'appuyer, des instruments qui aident à réfléchir, à rationaliser. Chez moi, ce sont des séries de rituels, d'accessoires, de gestes, qui bâtissent la vie !

Quelle serait votre définition de l'excentricité ?

Je n'aime pas les définitions. Mais ce serait ce qui est graphique, géométrique et algébrique !

Si un jour vos malles de voyage disparaissaient, vous sentiriez-vous perdue sans votre garde-robe ?

J'irais directement aux « Souvenir Shop » de l'aéroport acheter des choses. J'adore ça ! Je choisirais par exemple un drapeau à porter en foulard et une madone en guise de boucles d'oreilles. Bien sûr, je serais perdue ! Mais je me sentirais peut-être libérée. Au fond, ce serait un choc positif. Mais j'espère que cela n'arrivera jamais.

daumas

Sous l'objectif des médias

On peut supposer qu'il est relativement plus aisé de mener une existence d'excentrique si l'on évolue dans les sphères de la littérature, de la vie mondaine ou de la mode. Vus sous certains angles, ces excentriques ne font que pousser plus loin une forme de paraître usuelle aux métiers de l'apparence. Pour ceux qui ne font pas partie de ces cercles protégés, l'excentricité révèle d'autres courages, d'autres effets. L'excentrique britannique Robin Saint Clair, dessinateur de son état, repéré par le magazine VSD en 1989, vivait et travaillait habillé en Robin des bois, inspiration née de son enfance passée à parcourir la forêt de Sherwood. Un informaticien comptable du nom de Barry Kirk assumait à la même époque sa passion pour les *beans* en se transformant en symbole vivant du fameux féculent, habillé d'un collant rouge orangé, le crâne rasé. Pour les « Miss léopard », mère et fille totalement revêtues de ce motif de pelage, l'excentricité constitue un passeport pour accéder à des sphères qui leur seraient normalement fermées. En effet, rien dans leur profil ne justifie l'accueil de stars que la presse leur réserve chaque année au Festival de Cannes. Le charmant couple Friedrichs, Jeff et Ingrid, à l'âge où bien des gens prennent prudemment leur retraite, persistait à faire de la vie une fête. Aujourd'hui Jeff a disparu, et on a peine à imaginer qu'avec son apparence haute en couleur il ait pu mourir, à l'âge de quatre-vingt-huit ans, des suites d'une opération. Le dynamisme, la joie, l'énergie communicative que dégageait ce couple offraient l'image d'une éternelle jeunesse. Les gens dans la rue arrêtaient les Friedrichs pour les remercier d'oser s'habiller si gaiement : « On aimerait être comme vous au même âge ! », disaient les plus jeunes. Leur extravagance leur valait de posséder un carnet mondain de VIP, d'être reçus à Cannes dans une suite au *Carlton*, de figurer à tous les dîners de gala, de défiler pour Alexander McQueen... Passant toutes les nuits chez *Castel* ou chez *Régine*, aux *Bains* ou au *Queen*, ils ne rentraient jamais chez eux avant sept heures du matin ! Et quand on demande à Ingrid d'où vient cette originalité, elle répond : « Oh, notre look paraît étonnant, mais nous nous sommes toujours habillés ainsi, c'est notre âge qui en faisait l'originalité ! » Autre personnage inclassable, Titus Duchêne explore la planète à la recherche de la pièce rare pour sa collection de costumes. C'est un spécialiste de l'uniforme militaire ancien, qu'il porte pour se faire photographier dans les sites où ont eu lieu les conflits. Mais il se produit aussi dans le cercle plus sophistiqué de la mode, costumé en mandarin, en cavalier mongol ou en soldat de la Chine populaire.

Ci-dessus
Titus Duchêne, dans différents costumes de sa collection. Il voyage pour se faire photographier dans des lieux historiques, habillé dans l'uniforme de l'époque ou dans des tenues de fantaisie.
De gauche à droite : à Diên Biên Phu en soldat américain ; aux puces de New York en combinaison de pilote américain et blouson de pilote de rallye ; en costume de comique troupier français de la Guerre de 14-18 posant devant le stand de l'Historical Society à la commémoration de la guerre du Viêt Nam ; en costume fantaisiste de Croisé et gilet de la croix rouge, à Jerusalem le 3 janvier 2000.
Son personnage prend alors une allure plus dadaïste et ses interventions tiennent du happening quand il tente de pénétrer sur les lieux saints à Jerusalem le soir de l'an 2000. Il évitera de peu la prison ! Bien conscient de l'usage que l'on peut faire du costume comme un passeport social, Titus Duchêne ne s'habille que pour aller là où son look sera apprécié par des gens de métier.
La réprobation sans discernement des gens ordinaires ne l'intéresse pas.

Ci-dessus
Jeff et Ingrid Friedrichs. Couple d'excentriques nightclubbers, stars des nuits parisiennes, 2001.

« La couleur, elle, me sautait aux yeux. Brillante, impossible, impudente, seyante, pleine de vie, comme la lumière, les oiseaux et les poissons du monde assemblés, une couleur de Chine et de Pérou, mais pas occidentale, une couleur shocking pure, intense… »
Elsa Schiaparelli

Le fétichisme de la couleur

Les couleurs étrangères au goût d'une époque sont des instruments d'excentricité aussi sûrs que la pratique inhabituelle de certains vêtements. La société de l'Ancien Régime ne craignait pas les couleurs vives et tranchées, qui annonçaient clairement une position sociale élevée, les belles saturées révélant la valeur d'un tissu. Mais, vers le milieu du XIXe siècle, l'habillement masculin bourgeois adopte l'uniformité du noir, tandis que les femmes respectant les convenances préfèrent les couleurs douces et assorties. Les couleurs fortes prennent un caractère extravagant que seules les grandes cocottes ou les étrangères osent arborer. C'est ainsi que, vers 1911, Paul Poiret étonne en « réveillant » les couleurs, en introduisant dans ses collections une palette orientalisante. Le rose qu'Elsa Schiaparelli se choisit comme emblème dans les années 1930 semble tellement à la limite du mauvais goût qu'elle le baptise Shocking. Les années 1950 imposent le noir comme la marque de l'élégance. Au cours des années 1960, le pop art préfère les couleurs franches. Dans les années 1980, le noir revient en force, symbole d'élégance ou, au contraire, affirmation d'une imagerie rock subversive et post-punk.

L'insondable mystère du noir

Le goût pour le noir chez les excentriques se complaît dans une théâtralité morbide. La princesse Belgiojoso, un des modèles de référence de la Casati, habitait des pièces entièrement tapissées de noir, aux fenêtres occultées. La légende veut qu'elle ait conservé le cœur de certains de ses soupirants dans des reliquaires d'or. Mais la dame en noir la plus célèbre de l'histoire est certainement la belle Sissi, l'impératrice Élisabeth d'Autriche. C'est dans une robe noire de deuil qu'elle fit la connaissance de François-Joseph, qui tomba immédiatement sous son charme. Elle pouvait facilement disputer à la Castiglione son titre de plus belle et plus énigmatique femme du monde. La nature l'avait parée de grâces exceptionnelles : grande et élancée, elle mesurait un mètre soixante-quinze pour un tour de taille de cinquante à cinquante-deux centimètres. Ses mensurations ont fait d'elle la première anorexique célèbre de l'histoire. Elle sut utiliser le vêtement comme un véritable manifeste, par exemple lorsqu'elle parut au Bal de la bourgeoisie de Pest (Hongrie) en 1857 en robe de cour à la hongroise, blanche, garnie de rubis et d'émeraudes aux couleurs nationales, témoignant de son affection pour la patrie en rébellion.

Ci-contre
Elsa Schiaparelli. Son chapeau léopard évoque le goût pour le surréalisme de la célèbre couturière des années 1930, qui n'hésitait pas à porter ses créations les plus excentriques. Vers 1930.

Lady Diana Cooper, habillée en toge romaine, exagérait la pâleur naturelle de son teint en vivant dans une chambre tapissée de noir. Elle se coiffait d'une casquette faite dans une noix de coco pour aller traire ses vaches, Princesse et Fatima. Elle improvisait des tenues de cow-boy, de voleur de grands chemins, de paysanne, d'officier de marine, en piochant dans son « armoire à trésors » pleine d'accessoires hétéroclites, dont une collection de bonnets de hussard et de couvre-chefs venant du Mexique, du Maroc, de Californie ou du Sussex. En 1919, la célèbre Chanel aurait fait tendre de noir sa chambre après la disparition tragique de son amant Boy Capel. De cet épisode de sa vie nous est restée la mythique petite robe noire, uniforme du misérabilisme de luxe que toutes les femmes allaient adopter après son « invention » en 1926. Lorsque Diane Pernet, créatrice de mode américaine et journaliste, choisit son look de veuve sicilienne, c'était aussi en signe de deuil. Elle ne quittera plus ce sombre costume et, avec son immense chignon, il devint une véritable signature.

Rose shocking

Aujourd'hui, si le noir n'intrigue plus, le rose reste la marque d'excentriques célèbres. La milliardaire japonaise Masako Ohya, créatrice des premiers yakitoris à Paris, fondatrice d'une compagnie de danse classique et d'hôpitaux pour vieillards, était habillée en rose en souvenir de son mari, dont c'était la couleur préférée. Une tenue juvénile, avec minirobes et grands chapeaux à la Jean Bart, était réservée au club de golf qu'elle présidait. Au restaurant, elle portait un bavoir de bébé qui côtoyait l'étalage de ses décorations. Au cours de ses voyages à l'étranger, son secrétaire faisait continuellement des clichés d'elle en compagnie de célébrités ou dans l'intimité de ses chambres d'hôtel, photographiant jusqu'aux bouquets de fleurs reçus en cadeau. Quelque cinq cents images prises chaque année étaient rassemblées dans un livre-journal. Emballés dans des sacs à son monogramme, ces livres étaient expédiés par avion-cargo puis distribués en guise de cartes de visite. Le rose reflétait le tempérament gai et enfantin de Masako Ohya. Elle se félicitait tout le temps de sa vie merveilleuse, mais traitait son entourage en despote. Quand elle séjournait à Paris, elle donnait rendez-vous à ses amis aux horaires de Tokyo. Un rendez-vous pris à deux heures signifiait deux heures du matin !

Barbara Cartland, la célèbre romancière dont l'œuvre s'est vendue à plus d'un milliard d'exemplaires, se classant ainsi juste derrière la Bible, s'est illustrée par ses apparitions luxueuses en robes vaporeuses roses, descendant de Rolls blanches capitonnées de rose fuschia. La reine du roman rose vivait et posait dans des univers saturés de sa couleur fétiche. Sous des dehors extravagants, c'était une personnalité timide, « une femme sensible, qui croyait aux vertus de la prière quotidienne, à la réincarnation, au mysticisme et surtout à une force suprême dont nous dépendons », selon sa biographe Gwen Robyns. Descendant de deux vénérables familles anglaises, elle devient célèbre à vingt et un ans avec son premier roman, publié en 1922, *Jigsaw*. Trente ans après, elle en est déjà à son cinquantième roman. Dix ans plus tard, à son centième ! À sa mort en l'an 2000, à l'âge de quatre-vingt-dix-huit ans, son œuvre totalise sept cent vingt-trois romans, traduits en trente-cinq langues. Animée d'une capacité à dévorer la vie de manière boulimique, multipliant les voyages et les actions de toutes sortes, elle expérimente en 1931 l'idée d'un courrier aérien en planeur en réalisant elle-même un vol de Manston à Reading. Puis, défendant le droit à l'éducation des Bohémiens, elle les installe dans une « Barbaraville » à Hertfordshire, lieu de sa résidence Camfield Place. Elle mène une croisade en faveur d'une démocratisation de l'élégance, proposant en 1942 un modèle de robe de mariée au War Office. En 1959, elle entreprend avec sa fille une action contre la laideur des uniformes d'écolières et réclame au Home Secretary le « nettoyage » des magazines pornographiques. Son premier succès éditorial vient des États-Unis quand, en 1974, le géant du livre de poche Bantam Books sort chaque semaine un de ses romans, tiré à cinq cent mille exemplaires. C'est certainement dans sa propre vie que Barbara Cartland puise son inspiration.

Alors qu'elle était toute jeune, sa famille connut un revers de fortune. Polly, sa mère, femme énergique et pleine de ressources, se serait écriée : « Je saurai être pauvre, mais je refuse la médiocrité. » Pour paraître dans le monde, Barbara et sa mère apprirent à dénicher les robes de couturier vendues dans des boutiques de seconde main et à arranger de modestes chapeaux. Le goût immodéré de Barbara pour les toilettes luxueuses se comprend au regard de cette enfance pauvre passée dans la fréquentation des gens fortunés. Mais c'est l'obligation de travailler qui la conduisit à bâtir une fortune par ses écrits et à prendre ainsi sa revanche sur le destin.

Ci-dessus
Diane Pernet. Portrait à l'ombrelle, 2000. Éternellement habillée de noir, Diane Pernet s'est inspirée des veuves siciliennes pour créer sa haute coiffure.

Double page suivante
Masako Ohya. Photos extraites de ses albums autobiographiques, publiés annuellement, années 1990. La milliardaire japonaise réservait ses tenues mini pour la pratique de son sport favori, le golf. Le reste du temps elle ne portrait que des robes longues, en général roses, la couleur préférée de son défunt mari.

From Magazine of JYOSEI-SEVNE
「女性セブン」誌より
ダンプかあさんの
カミナリファッション
衝撃初公開／大屋政子式超ミニ、ツギハギルック
ゴル
どには
最高で
パンツ

Interview le 19 avril 2000

Comment avez-vous choisi votre couturier favori, Mr Norman Hartnell ?

Je devais être présentée à la Cour, au roi et à la reine, en 1925, et ma mère était très préoccupée par le coût d'une robe vraiment appropriée à l'événement. Elle n'avait pas à s'inquiéter car un de mes amis, qui était un jeune étudiant de Cambridge, Norman Hartnell, venait juste d'ouvrir sa première boutique à Londres, Bruton Street. Il avait besoin de publicité car il débutait, et il était ravi d'avoir l'occasion de faire une belle robe de mousseline blanche brodée de sequins. Il ne factura à ma mère que les frais de fabrication. Pourtant, elle pensait que douze livres c'était encore trop cher et s'en plaignit pendant tout le trajet jusqu'à Buckingham Palace ! Norman Hartnell a toujours dit que j'étais sa première cliente et je lui en ai envoyé beaucoup d'autres, dont la reine mère et sa fille la reine Élisabeth II. C'est d'ailleurs lui qui a dessiné l'habit du couronnement.

Quelles sont les robes qu'il a dessinées pour vous ?

Norman Hartnell a créé beaucoup de robes pour moi, pendant de nombreuses années. Au point que j'ai considéré que le look Norman Hartnell serait ma marque de reconnaissance, ma signature.

Quelle est votre vision de l'élégance et à quel point l'élégance est-elle importante dans votre vie publique et privée ?

J'ai toujours cru dans l'élégance et le glamour. J'achetais mes robes en suivant le principe qu'elles devaient être belles et refléter ma personnalité. Je pense que les hommes recherchent quelque chose d'excitant qui va de pair avec les couleurs fortes et le style. C'est pourquoi je n'ai jamais eu aucun problème avec les hommes dans ma vie.

Comment avez-vous créé cette manière si personnelle de vous habiller, avec cette vision si romantique et cette dévotion à la couleur rose ?

Depuis que Howard Carter m'a fait découvrir en 1927 ce rose soutenu et vibrant dans la tombe de Toutankhamon, j'ai toujours aimé la couleur rose. J'ai aussi été très impressionnée par le bleu turquoise des scarabées, et ces deux couleurs ont dominé ma vie.

Comment votre style a-t-il évolué dans le temps ?

Mon style a peu évolué dans le temps, et je crois que mes premières robes sont aussi stylées et glamour que les dernières que j'ai achetées.

Quel est votre point de vue sur l'excentricité ?

Je ne me suis jamais considérée comme excentrique. J'ai toujours été moi-même et si, certains pensent que je suis excentrique, c'est leur problème.

Barbara Cartland posant dans une robe de son couturier favori, Norman Hartnell, dans un décor à l'image du genre littéraire qu'elle a créé, le roman rose. Années 1990.

Barbara Cartland

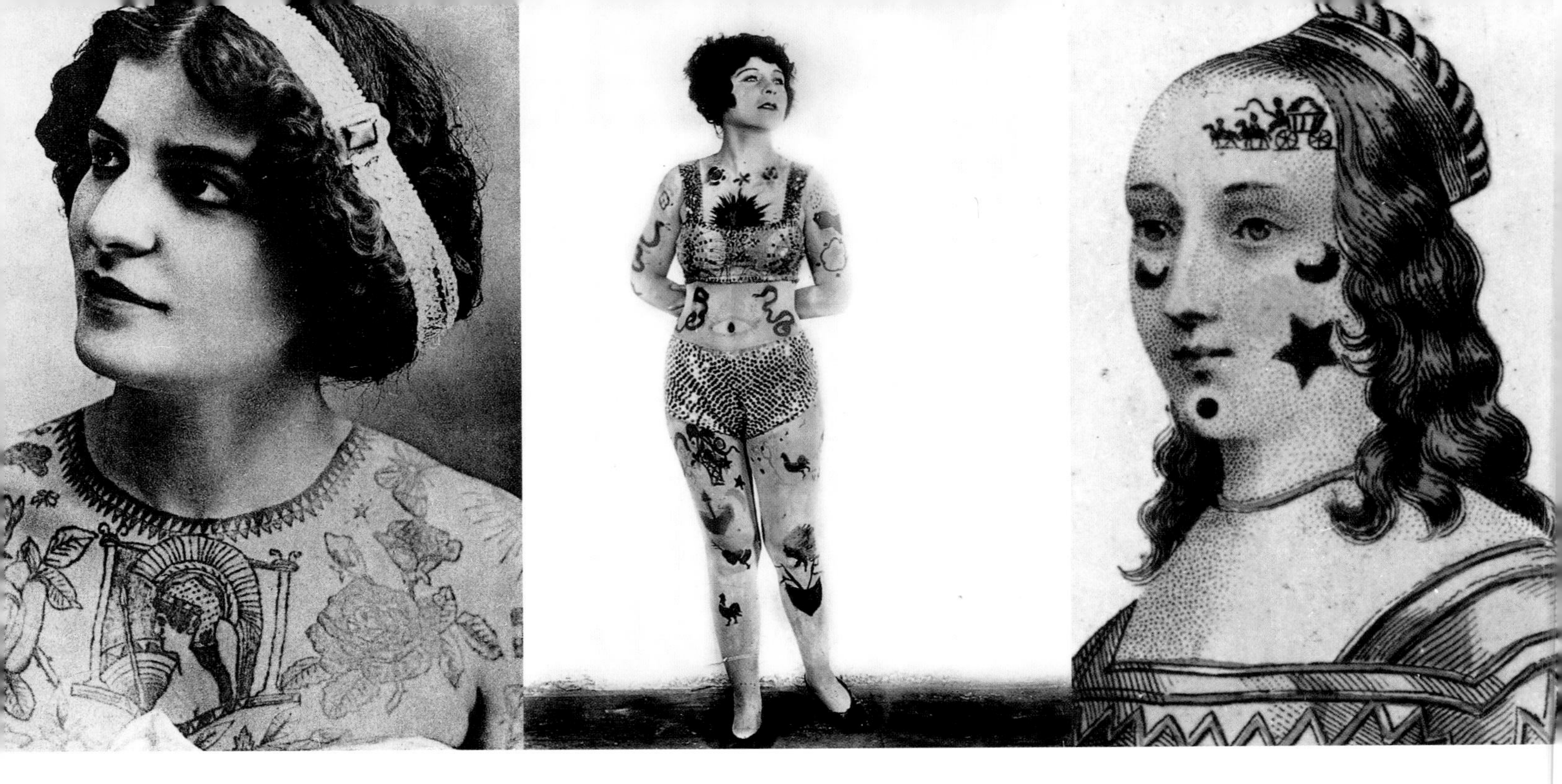

Les métamorphoses du corps

Tout ce qui touche au corps et à sa vérité nue a été, depuis Adam et Ève, une condition d'exclusion. Le jeune étudiant aux Beaux-Arts Vincent Bethell défraie ainsi la chronique depuis 1997 en pratiquant le nudisme au quotidien. Il se rend partout dans le plus simple appareil, muni toutefois, en guise de feuille de vigne, d'une pancarte portant l'inscription « Vous, peau, peurs ». Arrêté, puis jugé pour atteinte au « moral et au bien-être de la société » en vertu de la loi de 1871, il a finalement été déclaré non coupable. Le jeune nudiste est en fait une espèce de puritain qui affirme combattre la haine de soi et l'assimilation à des fins commerciales de la nudité corporelle et de l'érotisme. Il mène un combat en faveur d'un corps libéré de tous fantasmes.

Tatouages pour la vie

Les tatouages, scarifications ou piercings restent le plus sûr moyen de distinguer son corps, tant les signes de ces opérations sont indélébiles. En Europe, les tatouages connurent d'abord un grand succès auprès des populations les plus défavorisées. La machine à tatouer électrique brevetée par Samuel O'Reilly en 1891 élargit l'emprise de cette pratique. Quelques membres excentriques de l'élite se laissèrent ainsi tenter, comme le tsar, la tsarine, les Fürstenberg, les Vanderbilt, l'empereur Guillaume II ou lady Churchill. De nos jours, les participants à des rencontres annuelles telles que le Festival britannique de Dunstable retrouvent avec le tatouage, selon Ted Polhemus, le principe du rite de passage et la pratique du totem. Pour le sociologue David Le Breton, le tatouage « est souvent vécu comme la réappropriation d'un corps et d'un monde qui échappent [...], une sorte de signature de soi par laquelle l'individu s'affirme dans une identité choisie ».
Le principe de défense par intimidation qui consiste à effrayer l'ennemi se retrouve également chez les contemporains. L'auteur du livre *1000 Tatoos* assure qu'il a tatoué le signe du Ku Klux Klan sur un GI noir américain. Ce tatouage a valu au soldat d'être renvoyé chez lui tout en continuant de bénéficier de sa solde, l'armée ne sachant que penser de son cas ! Une autre forme extrémiste de tatouage pouvait entraîner la mort : dans les goulags russes, certains prisonniers se faisaient tatouer un Wladimir Illitch Lénine ou un Joseph Staline en cochon opérant une fellation sur le diable ou fumant de l'opium !

Ci-dessus, de gauche à droite
Djira « beauté orientale tatouée en huit couleurs différentes » au début du siècle ; jeune femme « habillée » de tatouages, vers 1910 ; mode à l'époque de Charles II, vers 1660-1665.

Ci-contre
Militaire anglais arborant un tatouage héraldique, vers 1900-1920.

CAEN CRESSIE CALAIS

Chirurgie et vêtements de chair

Le XXe siècle a connu une des plus grandes révolutions dans le domaine de l'apparence, celle de la manipulation de l'identité corporelle. Les civilisations judéo-chrétiennes condamnent les modifications corporelles, le corps, reflet de la nature divine, devant rester indivisible et inchangé. La beauté, réputée être le reflet de l'âme, ne devrait recourir pour son amélioration qu'à un travail introspectif. Avec le XXe siècle, l'homme débarrassé du sacré appréhende son propre corps dans sa matérialité, et s'arroge le droit de le modifier en profondeur. Après la Seconde Guerre mondiale, aidé par la chirurgie plastique et par des implants de silicone, le corps se fait vêtement de chair. Dans la grande majorité des opérations, la métamorphose, réelle – et non plus mythique –, cherche à conformer le corps à des critères esthétiques généralisés : lutte contre le vieillissement, amélioration du physique, réduction des signes de race pour ressembler au modèle racial dominant...

Mais certaines modifications corporelles vont au-delà de modèles préétablis. L'excentricité corporelle tend à sublimer la nature, à dépasser les limites du réel, dans un processus d'autant plus fou qu'il est irréversible. La milliardaire américaine Jocelyne Wildenstein, que la presse américaine, après ses opérations répétées, a surnommée « Lion Queen », se dit fascinée par la beauté des félins et de l'Afrique. Lors d'un retentissant procès en divorce, son mari allégua qu'il ne reconnaissait plus la femme qu'il avait épousée : « She has the impression that you fix a face the way you fix a house. » (« Elle avait l'impression qu'on pouvait réaménager un visage exactement comme on réaménage une maison. »).

Amanda Lepore, elle, scandalise en apparaissant dans les soirées en costume d'Ève, révélant sa plastique d'« œuvre d'art » créée par la chirurgie. Lors du vernissage de l'exposition d'Azzedine Alaïa au musée Guggenheim de Soho à New York, elle aurait justifié sa nudité en lançant : « Je viendrai habillée en Alaïa, sinon avec rien ! »

L'extraordinaire tour de poitrine de Lolo Ferrari – cent trente centimètres – a fasciné les foules quand elle est apparue au Festival de Cannes de 1995 et a déclenché une véritable « Lolomania » : sortie en 1996 du CD *Airbag Generation*, tournées de shows, émissions de télévision, participation à un happening filmé et photographié par l'artiste marseillais Frédéric Coupet... La bouche de Lolo Ferrari était aussi pulpeuse que celle de Mabel Cory, star des années 1950, était fine. Jean-Noël Liaut raconte que l'Américaine s'était tellement fait rétrécir la bouche qu'elle ne pouvait s'alimenter qu'à travers un tuyau distribuant de minuscules boulettes.

D'une beauté saisissante, brillante et cultivée, Gladys Deacon, qui avait inspiré à Proust son personnage de Miss Foster dans la *À la recherche du temps perdu*, souffrait néanmoins de ne pas avoir le profil grec. L'opération qui devait le lui donner la défigura : la cire utilisée pour remodeler le nez fondit et se répandit sur toute sa figure, la transformant en monstre ! Elle disparut de la société, vécut en ermite, ne sortant plus que la nuit vêtue de robes du soir en loques, alcoolique et droguée, et finit sa vie à l'asile.

Mais l'oscar de l'excentricité chirurgicale revient certainement à Michael Jackson. L'ex-gentil gamin des Jackson Five, après des années de passages répétés sur le billard, finit par ne plus être que la caricature de lui-même, une projection en blanc de son négatif noir : peau ivoire, nez en pied de marmite, yeux en amande. Lors d'une de ses dernières déclarations en février 2001, la star a demandé à son ex-épouse Lisa Maria Presley, qui la lui a refusée, une empreinte de son nez afin de se faire faire le même !

Le transsexualisme

Les opérations vécues par les transsexuels sont perçues comme le comble de l'extravagance. Pourtant, selon Patrice Mercader, la décision de changer de sexe correspondrait paradoxalement à « des conceptions très rigides et normalisantes du masculin et du féminin ».

Ci-dessus, de gauche à droite
Amanda Lepore, 2001 ; Coccinelle, 1987 ; la belle Jocelyne Wildenstein et le milliardaire japonais Yogi Mishikawa, 2001, qui, en véritable excentrique, préside ses conseils d'administration dans les mêmes tenues que celles qu'il revêt pour sortir.

Le transsexuel justifie l'opération par une explication scientifique : il s'agit de réparer une erreur biologique, en partant du principe que les sexes seraient interchangeables. Le transsexualisme est donc perçu comme dangereux, car il efface implicitement la différence entre les sexes et « entraîne une dérive idéologique où l'imaginaire règne en maître, où rien ne vient mettre un point d'arrêt entre le fantasme et la réalité ».

Les premières opérations soulevèrent un tollé au sein de l'opinion publique. Ancien héros de la guerre, George Jorgensen se fit transformer en femme à Copenhague en 1952. Anonyme la veille, il devint une vedette de cabaret et reçut le prix de la Femme de l'année en 1954.

En 1962, Jacques Dufresnoy, opéré en 1958 à Casablanca au Maroc et rebaptisé Jacqueline-Charlotte ou Coccinelle, obtint le premier changement d'état civil en France. « J'ai toujours eu besoin de modèle. J'aurais pu plus mal choisir : Marilyn Monroe, Martine Carol, Brigitte Bardot... Je me suis efforcée de ressembler à chacune des trois, et que l'on ait pu, souvent, me confondre avec l'une ou l'autre reste à mes yeux un sujet de fierté », déclare-t-elle. Pourtant, le scandale déclenché par cet acte entraîna le rejet de toutes les demandes ultérieures.

Ci-dessus
Photographiée par David LaChapelle, la performeuse Amanda Lepore dans toute la splendeur de sa plastique recréée à l'image d'une héroïne de bande dessinée. L'égérie de Benoît Méléard, le créateur de la chaussure anatomique mutante, a prêté son apparence de pin-up de l'extrême à un clip de David Bowie.

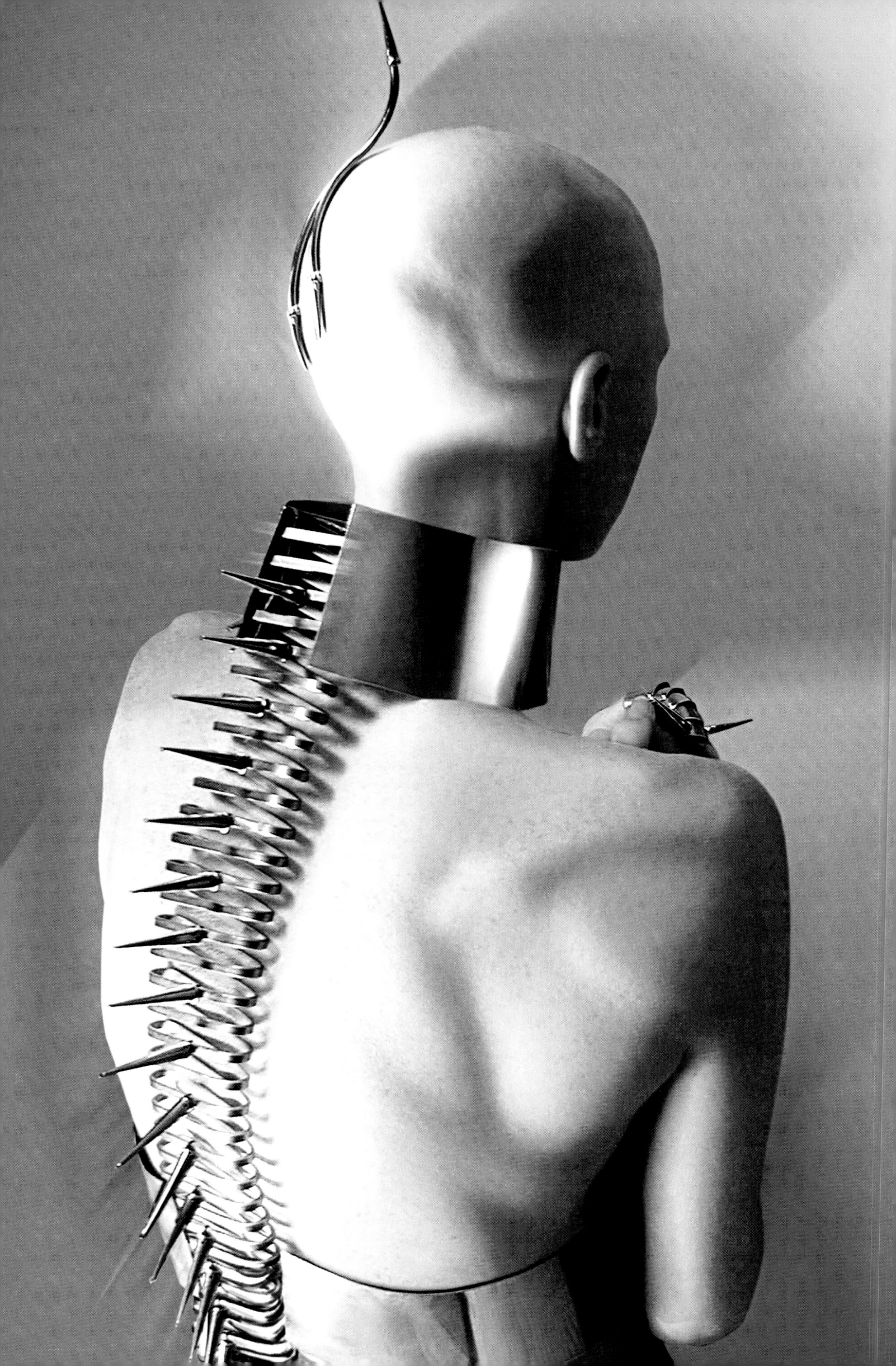

LA TRANSGRESSION DES GENRES

Le travestissement est souvent confondu avec le transsexualisme parce qu'il joue avec les signes apparents de sexualité. Mais, ici, l'identité sexuelle choisie est révocable, et l'apparence ne masque jamais totalement la réalité. Longtemps ridiculisées, les drag queens ont fini par être admises, et leur apparition était recherchée comme gage de la réussite d'une soirée au cours des années 1980 et 1990. Le succès retentissant de quelques figures emblématiques du monde de l'art qui se créaient une apparence ambiguë, tels Mick Jagger dès les années 1960 puis Divine dans les années 1970 ou Joey Arias dans les années 1990, a certainement contribué à cette acceptation du genre. Plus troublante encore, l'idée d'androgynie fait basculer le mythe dans la réalité. Dans les années 1980, un jeune Américain créateur de mode et collectionneur, Billy Boy, surprenait les Parisiens en raison de son apparence indéfinissable. Filiforme et élégant, il portait des robes de haute couture et des chapeaux de Schiaparelli. Dans les années 1990, Vincent McDoom, originaire de Sainte-Lucie, ancien animateur de nuits parisiennes, est devenu la « speakerine » fétiche de la chaîne de télévision Paris Première. Sa minceur et sa sophistication lui permettent de porter avec un naturel « artificiel » les tenues les plus folles. La créatrice de bijoux Odette Bombardier se défend de susciter l'ambiguïté par son look et ses réalisations. Néanmoins, sa silhouette androgyne, son crâne rasé, ses tenues inspirées de l'imagerie sadomasochiste provoquent des réactions de violence qui ne l'étonnent pas.

Enfin, le transgenre propose une sorte de collage féminin-masculin, le sujet se moquant de la perception de son identité, et laisse à chacun le soin de le cataloguer. Se déclarant sans profession, la « Chose » a néanmoins à son actif de longues heures de nightclubber au *Palace*, au *Privilège* ou au *Queen*... Avec ses « cheveux longs et pantalons Saint Laurent, sac à main et bras virils, mules chics et barbe naissante », la « Chose » joue le rôle de régulateur social dans des milieux où se croisent tous les mondes. La « Bourette », juchée sur des talons de créateur, maquillée, déambule dans les défilés et les soirées en décochant des vannes provocantes, citant Pierre Molinier comme modèle. Ses lectures de Burroughs ou de Lautréamont sur Radio FG ont valu à la station un procès pour pornographie et zoophilie, et une amende de quatre-vingt mille francs. Aux États-Unis, Chuck Nanney propose des autoportraits mêlant le féminin et le masculin, qui le montrent en barbu habillé de robes d'ingénue.

Page de gauche
Crête dorsale, création de bijoux d'Odette Bombardier. L'aspect inquiétant et dangereux de ces accessoires aux pointes acérées n'est qu'apparence. Ces pointes sont rendues inoffensives par un ingénieux système de montage souple et une microscopique boule protégeant le bout.

Page suivante à gauche
Chuck Nanney, artiste performeur américain. Tirage unique, 77 x 52 cm, 1992.

Page suivante à droite
Divine. Photo extraite du film *Pink Flamingos* de John Waters, 1972.

Pages 140-141
Vincent McDoom, « speakerine » de Paris Première, au milieu d'un aperçu de sa garde-robe de modèles délirants ou glamour de ses amis créateurs de mode. 2001.

VUITTON

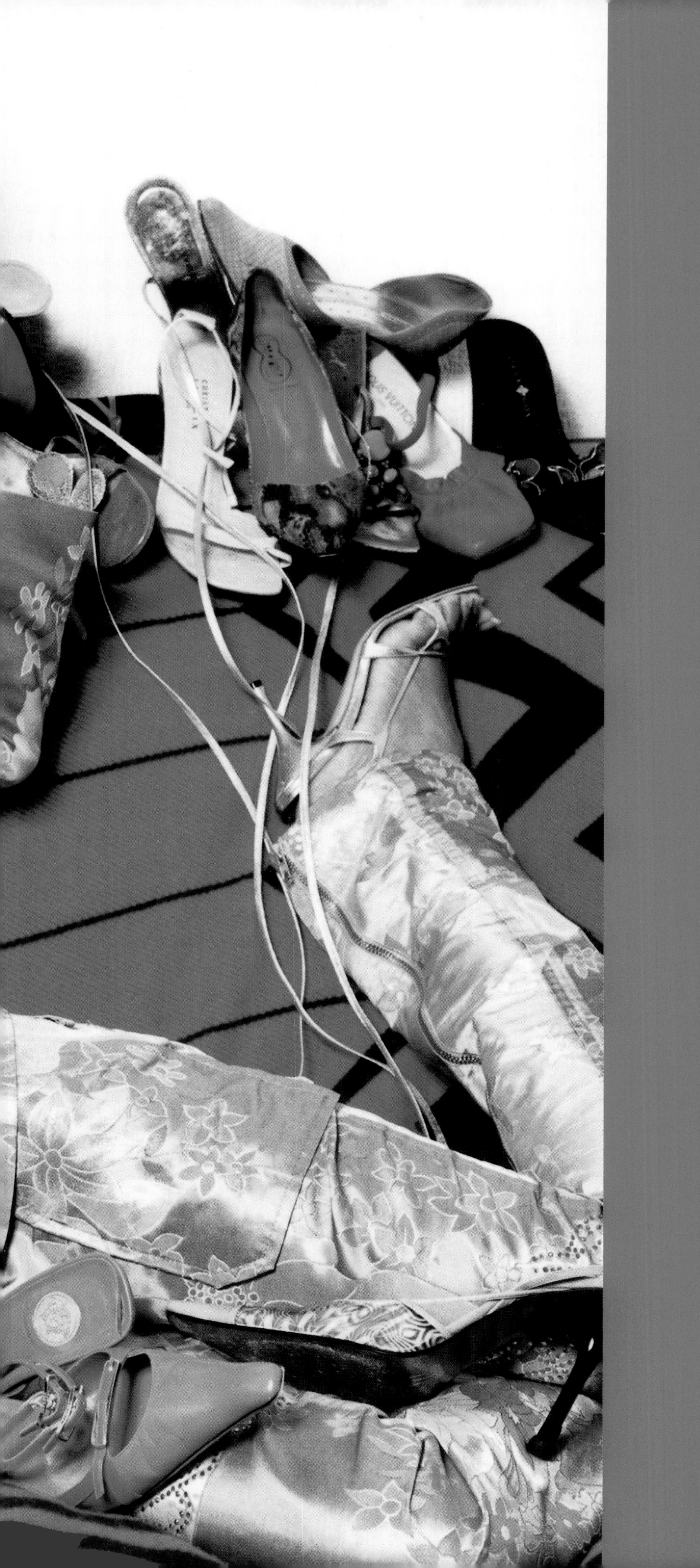

« C'est quand il parle en son nom propre que l'homme se révèle le moins.
Donnez-lui un masque et il vous dira la vérité. » *Oscar Wilde*

L'ARTISTE EXCENTRIQUE PAR NATURE

Dans la conception, héritée du XIXe siècle, du rôle et du caractère de l'artiste, ce dernier traduit sa vision personnelle du monde en objets et propositions qui tendraient à modifier la perception de ce monde et à en bouleverser les règles. L'artiste serait par essence un original ; par nature un marginal qui se ferait un devoir de bousculer les choses établies, afin de faire naître à la réalité de ses œuvres. Dans cette entreprise, l'apparence individualisée de sa propre personne apparaît comme la promesse de l'originalité de son œuvre. L'excentricité vestimentaire s'impose paradoxalement comme la marque de son statut et comme le véritable uniforme de sa profession. Mais au-delà de cette quasi obligation d'excentricité, certains artistes ont perçu la puissance d'un travail sur les usages vestimentaires et l'aspect vraiment dérangeant d'œuvres consacrées à l'engagement total de l'artiste dans la modification de son propre corps et de son apparence.

LES ARTS PLASTIQUES

Avant le XIXe siècle, la carrière d'un artiste dépendait des familles royales et princières, ainsi que du clergé. Fournisseur privilégié des Cours, il travaillait surtout sur commande pour le pouvoir en place. Au XIXe siècle, l'artiste sort du système du mécénat aristocratique et cet ancien serviteur dévoué des arts devient « un être libre par nature et par fonction, un excentrique qui récuse son temps », selon Daniel Levier. La bohème symbolise sa liberté, condition nécessaire à l'expression artistique authentique. Avec l'époque romantique, la panoplie de l'artiste souligne clairement sa nouvelle condition affranchie des règles strictes du monde bourgeois : l'orientalisme du turban, la simplicité de l'ample blouse ou de la lavallière occupent le registre du négligé et de la marginalité.

Mais il faut attendre le XXe siècle pour que des artistes réfléchissent à la question de l'apparence en l'intégrant complètement dans leur démarche d'une manière originale. Certains tentent d'une façon ou d'une autre de révolutionner le système vestimentaire. D'autres choisissent de travailler leur propre apparence comme un élément constitutif de leur œuvre, ou comme un soutien socialement identifiable.

Le vêtement d'artiste : un manifeste

Dès 1884, le mouvement Arts and Crafts de William Morris et Henry Van de Velde suggère l'abolition des barrières qui séparent art majeur et art mineur, et établit la notion de « vêtements d'artiste ». Theo Van Doesburg, chef de file du mouvement hollandais De Stijl, apparaît à un journaliste dans un costume négatif photographique : « Tout ce qui devait être noir était blanc et vice versa. » Au sein des Wiener Werstätte de Vienne domine l'idée que « tout ce qui est de l'art est bon ». La vision de l'artiste doit être globale. Gustav Klimt et sa compagne Emilie Flöge appliquent ce principe en portant les créations costumières du peintre. Ses amples robes longues brunes ou bleues expriment sa quête du vêtement imaginaire primordial. Tous ces mouvements visent à renverser la suprématie de la haute couture parisienne et de la mode.

Les futuristes italiens, actifs dès 1911, incluent le vêtement dans l'ensemble de leur travail au nom de leur théorie de l'« art-action ». L'art, censé changer le monde et les hommes, doit jouer sur la provocation. Le ressort de la couleur vive et de l'asymétrie doit créer un effet dynamisant en régénérant le spectacle du quotidien.

Passant à l'acte, Boccioni et Severini, venus à Paris pour rencontrer Picasso, exhibent leurs chaussettes de couleurs différentes... des couleurs choisies toutefois selon le système des complémentaires, une verte et une rouge, remplacées le lendemain par une jaune et une violette. Blaise Cendrars et Sonia Delaunay s'empresseront de reprendre l'idée en 1913, pour la traduire dans une tenue de tango. La jeune artiste créera aussi la mode des robes « simultanées » aux couleurs contrastées, adaptation de ses recherches picturales et sera la première à porter ses créations, avant de les vendre plus tard dans une boutique.

Giacomo Balla porte avec conviction ses créations futuristes les plus osées, encouragé par des commanditaires, les Lôwenstein. Dans leur villa sur le Rhin, l'artiste conçoit une décoration très colorée pour le salon de musique et des vêtements appropriés au lieu, en noir et blanc. En 1912 et 1913, des éléments issus de sa peinture, la « ligne de vitesse », les formes-bruit et les rythmes chromatiques des « compénétrations » sont transposés sur des cravates. On peut ainsi le voir vêtu d'un costume sans col, à revers et fermeture asymétrique, arborant ces petites cravates « tremblotant comme de la gélatine » ou en forme d'hélice d'aéroplane. Deux autres futuristes créent l'anti-cravate, en métal et dépourvue de nœud, considéré comme une allusion au supplice de la pendaison. Tullio Crali, quant à lui, renonce à cet accessoire et porte une veste courte, sans col, à bouton unique. En 1951 il imagine le borsello, sac pour homme avec lequel il fait scandale au Louvre. Balla et ses disciples font de l'homme une véritable œuvre d'art mobile, en harmonie avec la modernité urbaine, pour un quotidien qui serait une fête permanente.

Plus récemment, McDermott et McGough ont inscrit le costume et la mode dans une vision omniprésente du passé. Selon l'aphorisme « all times exists at the same time » (« tous les temps coexistent en même temps »), les deux Américains vivent « rétrospectivement » une alchimie de l'histoire de l'art. Dans des maisons sans électricité, habillés de préférence dans le style fin XIXe-début XXe siècle, époque de découverte de la modernité, ils créent des photos selon d'anciennes techniques et peignent des tableaux élevant les planches de mode des années 1920 au rang d'autoportraits. L'image stéréotypée interroge avec toute la distance du dandysme la religion, la beauté, la morale sexuelle.

Page précédente
Leigh Bowery, artiste performeur, nightclubber, styliste, a inspiré toute une génération de créateurs par ses métamorphoses fantasmatiques. 1993.

Ci-dessus à gauche
Gustav Klimt, le maître de l'Art nouveau viennois, fondateur de la Sécession autrichienne. 1900.

Ci-dessus à droite
McDermott & McGough. « Portrait of the artists (with top hats) », 1865. 1991. Photographie originale, épreuve palladium, 35 x 28 cm.

L'artiste est sa meilleure œuvre d'art

L'inventeur de la méthode paranoïaque-critique, Salvador Dalí, se considérait comme sa plus grande œuvre d'art. Il tentait de modifier la perception de la réalité par un procédé hallucinatoire, nourrissant sa peinture des images de ses rêves, qui prenaient vite l'allure de cauchemars. Son comportement frisait continuellement l'hystérie. En 1929, à l'époque de sa rencontre avec sa muse Gala, il portait un géranium rouge à l'oreille, barbouillait sa chemise d'excréments de chèvre et de colle, et peignait en bleu ses aisselles rasées. C'est sans doute le premier artiste à avoir exploité toutes les possibilités artistiques d'un comportement extravagant. D'abord excentrique pour cacher une certaine angoisse du monde, il affirma son extravagance dans un système d'autostarification : en 1936 à Londres, il donna une conférence inaudible en tenue de scaphandrier, et manqua de périr étouffé.

La corne de rhinocéros, portée comme un chapeau, évoquait les vertus aphrodisiaques d'un objet apparaissant comme un symbole phallique, notamment dans *Jeune Vierge autosodomisée par les cornes de sa propre chasteté* de 1954. Avec la production d'« objets irréels à fonctionnement symbolique », comme le chapeau-soulier dessiné pour Elsa Schiaparelli, Dalí pensait renverser les conventions sociales.

Les ready-made de Duchamp préfiguraient dès 1913 cette élévation de l'objet quotidien au rang d'œuvre d'art. L'acte créatif est lié à la fonction médiumnique de l'artiste. Son personnage de Rrose Sélavy, fixé par la photographie de Man Ray, est né de l'idée de changer d'identité en prenant un nom juif et en s'habillant en femme.

Le mouvement surréaliste exploitait systématiquement les effets du scandale, à travers ses expositions et ses événements. On se mettait n'importe quoi sur la tête de manière à choquer le bourgeois. Leonor Fini, une autre artiste qui participait à l'exposition surréaliste de 1936, devint célèbre autant par son œuvre étrange que par son personnage fascinant. Son goût pour la fête bizarre, où elle aimait paraître dans de somptueux costumes, le visage dissimulé par de curieux masques ou nue sous un manteau de fourrure, renvoyait à un univers pictural onirique et érotique, peuplé d'androgynes et de personnages aux yeux clos, de magiciennes et de sorcières, de crânes et de sphinx. Marginale, elle explorait le monde du subconscient en s'inspirant de la pensée de Jung.

Découverte par André Breton en 1938, l'œuvre du peintre mexicain Frida Kahlo est totalement autobiographique. Habillée au quotidien de robes longues traditionnelles au Mexique, le visage non maquillé, non épilé, elle pose dans de nombreux autoportraits où son apparence inquiète interroge son être-martyr. Après un grave accident, l'artiste souffrit toute sa vie, le buste comprimé par un corset de soutien.

L'artiste Claude Cahun, impliquée dans le mouvement surréaliste, fut un personnage fascinant par son apparence d'extraterrestre. Son œuvre photographique, redécouverte récemment, n'est connue qu'à travers deux publications, un livre de textes illustré, *Aveux non avenus* de 1930, et *le Cœur de pic*, un livre de poèmes illustré par Lise Deharme. On y découvre son travail sur l'ambiguïté de sa propre identité et sa manipulation des signes de différenciation entre les genres féminin et masculin. Certaines œuvres, miroir de son androgynie, reflètent les persécutions dont elle fut victime. Sa condition d'homosexuelle, jugée subversive, la fit arrêter par les nazis.

Ci-dessus
Marcel Duchamp en Rrose Sélavy, 1921.
Photo de Man Ray. Véritable double féminin de Duchamp, Rrose Sélavy porte un chapeau de Germaine Everling, qui a aussi prêté ses mains pour féminiser davantage le portrait.

Ci-dessus
Salvador Dalí, 1959. « Imperturbable dans son vice d'offrir à chacun de ses passages par Paris le meilleur de son délire paranoïaque-critique, Salvador Dalí vient d'arriver au Palais des Glaces (Champs-Élysées) par un nouveau moyen de locomotion : l'« Ovocipède », pour achever une de ses trois illustrations de l'Apocalypse, un livre à 100 millions de francs. »

Page suivante à gauche
Claude Cahun. Autoportrait, vers 1928. Tirage argentique, 24 x 15 cm. Collection Première Heure, Saint-Cloud.

Page suivante à droite
Frida Kahlo, « La Colonne brisée », 1944. Huile sur toile, 40 x 30,7 cm. Fundación Dolores Olmedo Patino, A.C.

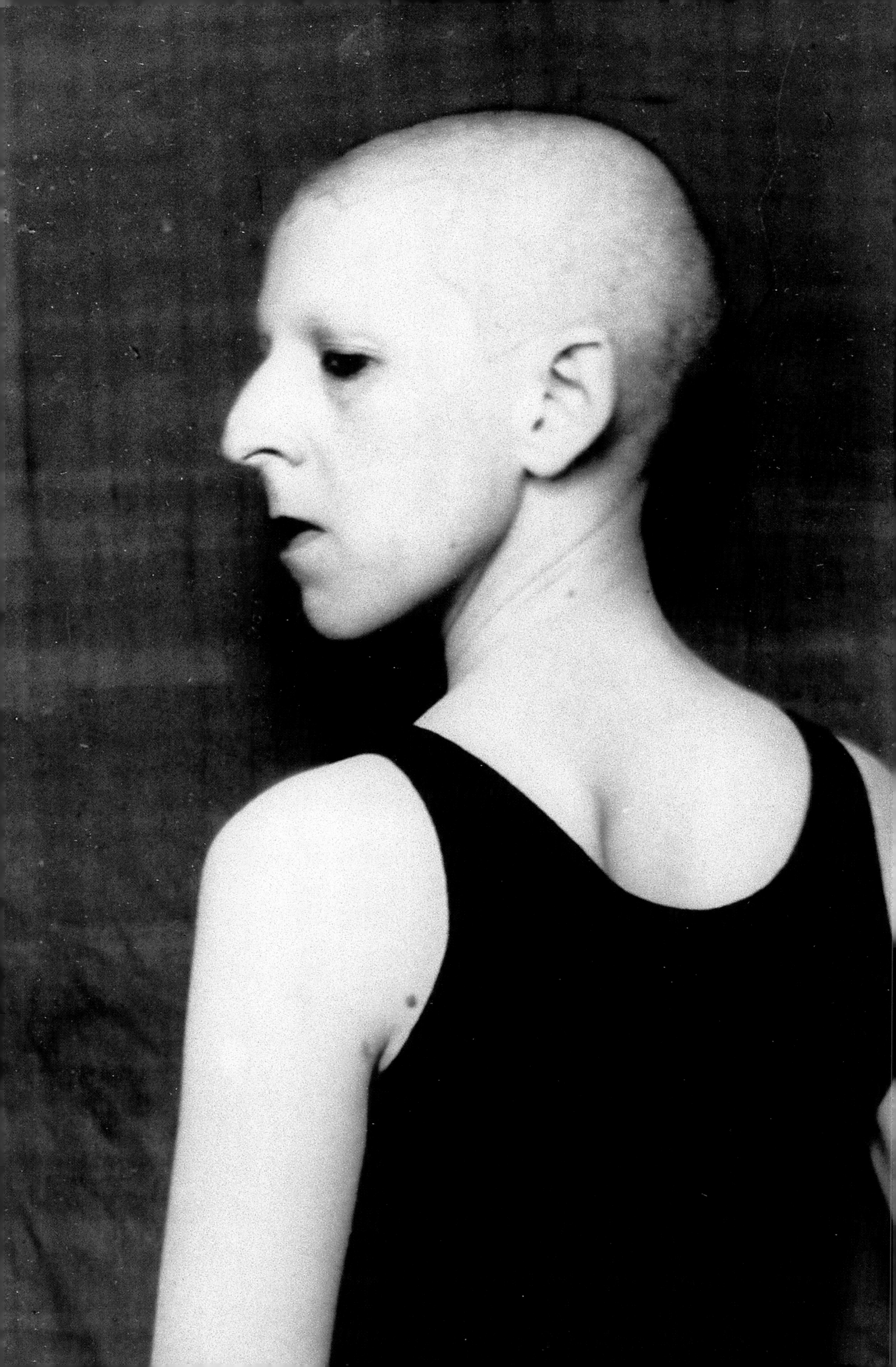

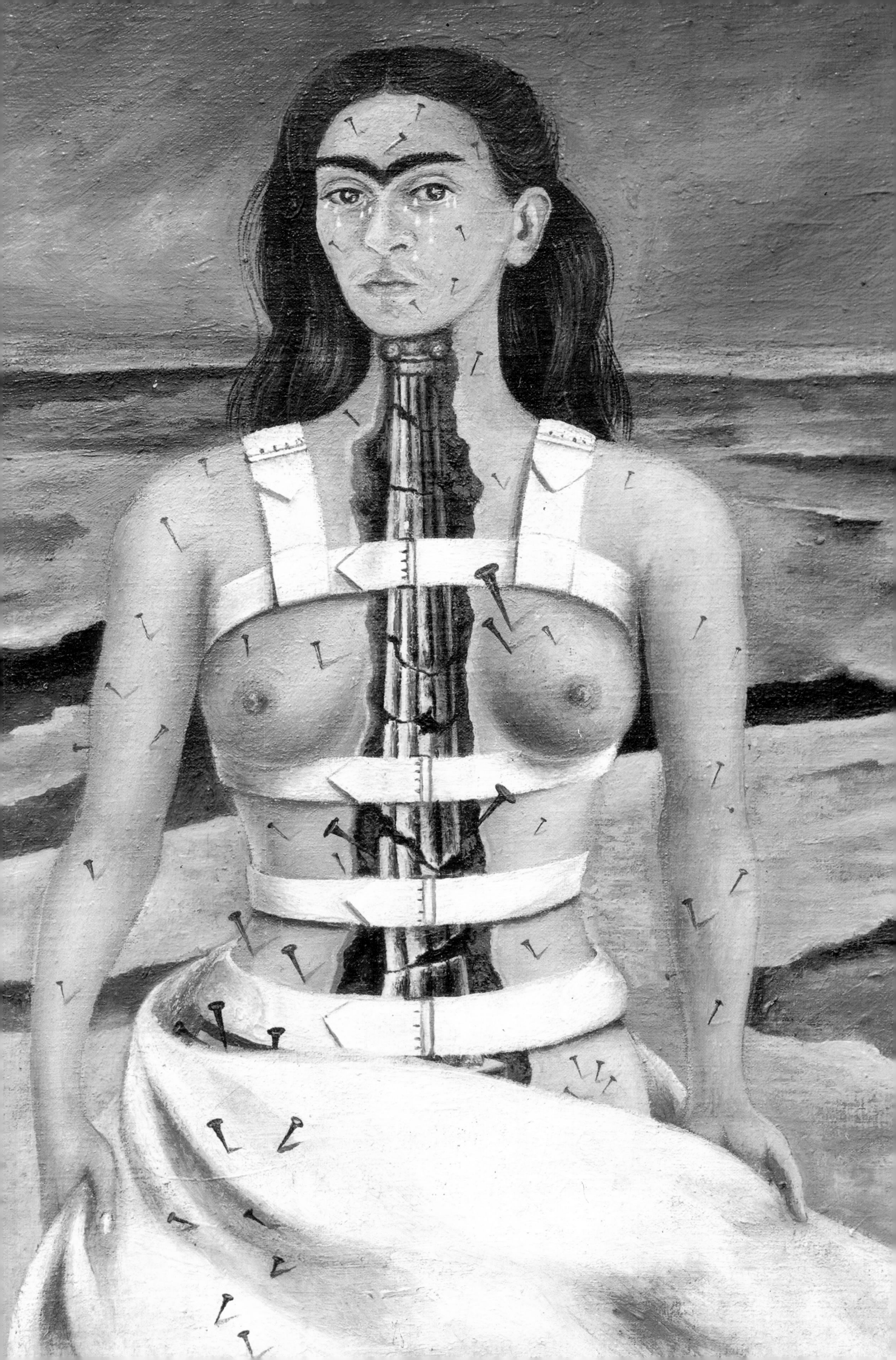

L'art engagé contre tous les tabous : Molinier, Kusama, Eva et Adele

Le travail sur l'apparence valut d'ailleurs à de nombreux artistes de voir leur œuvre réduite au rang de simple fantaisie, quand ce n'était pas assimilée à un cas clinique. Pierre Molinier, Yayoi Kusama ou Orlan eurent chacun en leur temps à souffrir d'une critique qui, s'arrêtant au comportement étrange de l'artiste, retirait à l'œuvre sa signification profonde. Bien que très admiré par André Breton, Pierre Molinier est considéré par François Pluchart comme l'héritier du dadaïsme et du futurisme, et comme le père de l'art corporel. Celui qui se définissait à partir de « trois passions : la peinture, les filles et le pistolet » resta marginal et longtemps méconnu, car l'œuvre qu'il produisit entre 1950 à 1976 touchait au plus tenace des tabous, la sexualité.

En 1960, alors qu'il venait de mettre officiellement fin à sa carrière de peintre en bâtiment, il fut arrêté et emprisonné pour tentative de meurtre sur sa femme et détention illégale d'un véritable arsenal de pistolets, de revolvers et de carabines. Dix ans auparavant, il avait fabriqué sa propre tombe avec l'épitaphe suivante : « Ci-gît Pierre Molinier/né le 13 avril 1900 mort vers 1950/ce fut un homme sans moralité,/il s'en fit gloire et honneur/ Inutile/de/P.P.L. » Dans un entretien cité par son biographe Pierre Petit, il s'en explique : « C'est le jour où je suis mort à toutes les conventions possibles et imaginables, les conventions humaines, le conformisme. » En 1951, au Salon des indépendants de Bordeaux, il proposa successivement deux toiles, *le Duel* puis *le Grand Combat*, qui correspondaient à la nouvelle voie scandaleuse dans laquelle il s'était engagé. On y décelait un désordre indescriptible de jambes gainées de bas résille et de traces de sang. La seconde toile offrait l'aspect d'un combat amoureux sans ambiguïté. À la censure prononcée par la Société des indépendants, Pierre Molinier répondit par un texte : « Que me reprochez-vous dans mon œuvre ? D'être moi-même ? Allez donc, vous crevez de conformisme ! Vous n'êtes pas des artistes, vous êtes des esclaves ! Vous êtes des bornes à distribuer l'essence ! Vous êtes le signal rouge et vert du coin de la rue... (Eh, allez donc, enfoutrés !!!!) »

Plus tard, l'artiste distribua en guise de carte de visite une photo le montrant en pleine « séance de travail » sur son joug à autofellation. Son sperme, qu'il prétendait avaler lorsqu'il était sur la machine, était précieusement recueilli afin de servir de couche de séparation entre chaque glacis posé sur ses tableaux. Il ne se gênait nullement lorsqu'il avait de la visite pour se masturber devant ses visiteurs. À propos de sa peinture, l'artiste proclamait : « Je chante dans ma peinture ce que la société imbécile appelle mes vices et [que je] comprends moi-même comme mes passions. » Excité par son propre exhibitionnisme, Pierre Molinier aimait se costumer en hermaphrodite. Pour son projet de livre *le Chaman et ses créatures*, il se photographia le buste comprimé dans une guêpière, la poitrine en jaillissant, le sexe bandant, le visage maquillé arborant un sourire démoniaque, les jambes épilées et gainées de bas noirs, chaussé d'escarpins à talons. Plus âgé, Pierre Molinier remplaça le maquillage par un masque en cuir souple maquillé, véritable chef-d'œuvre qui lui permettait de tromper le temps et de cacher ses rides « pour faire l'amour ».

Fétichiste des jambes et du visage, l'artiste ne les aime qu'habillés de bas noirs et de voilette, le maquillage dissimulant l'identité de ses modèles et créant une distance surnaturelle et mystérieuse qui amplifie l'effet érotique. Dès son plus jeune âge Molinier tente ses premières expériences photographiques, réalisant notamment un cliché de sa sœur sur son lit de mort après avoir joui sur son cadavre. Exploit qu'il aime à raconter afin de choquer son auditoire. À partir du début des années 1960, il développe ses expériences de photomontage, dans la lignée complexe de sa peinture érotique. On y retrouve ces enchevêtrements indescriptibles de membres, de jambes, de bras, de sexes et de têtes, découpés et remontés dans des combinaisons qui démultiplient les rapports sexuels à l'infini et peuvent se regarder dans tous les sens.

Ci-contre
Pierre Molinier.
Autoportrait.

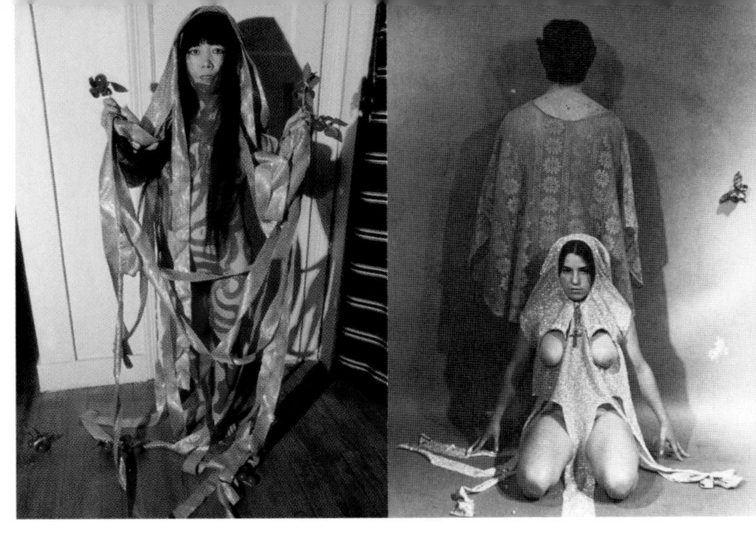

Warhol

Fasciné par les travestis, comme sa muse Candy Darling, Andy Warhol a rendu hommage au travestissement dans la série de portraits *Altered Image* prise par Christopher Makos, et à l'évolution du rôle social des sexes. La célèbre perruque – devenue son signe d'identité – serait la projection et la réminiscence détestable des horribles perruques portées par sa mère. La mode et son imagerie occupent une grande partie de son œuvre, qui a été étudiée dans l'exposition « The Warhol look » organisée par la Fondation Warhol en 1997. À travers les multiples passerelles qu'il lance entre des formes d'expressions variées, il stimule les tendances futures. Depuis ses premiers dessins publicitaires pour le chausseur Israël Miller, ses pages d'illustrations de mode pour le magazine *Mademoiselle*, ses créations de tissus dans les années soixante, ses animations de vitrines pour Bonwit Teller, il réussit à concilier l'art et le commerce. Cette approche de la mode et de son vocabulaire glamour connaîtra son apothéose dans la Silver Factory et ses productions multiformes d'émissions de télévision, de photos de mode, sans oublier la création du magazine *Interview*... une usine qui « produira » bon nombre d'égéries de l'époque pop : Edie Sedgwick, Nico, la star du Velvet Underground, Joe Dallessandro, Candy Darling, etc.

Kusama

Dans le New York pré-pop des années 1950, une jeune artiste japonaise commença à bousculer les codes de savoir-être de la société puritaine américaine. Mais, parce qu'elle s'attaquait à de trop puissants tabous moraux et sexuels, ses happenings, performances, films et produits dérivés de la Kusama Enterprise n'attirèrent dans les années 1960 que la presse de mode et les journaux à sensation. Les critiques d'art restèrent muets. Il fallut attendre une trentaine d'années avant que de grands musées et de respectables revues d'art reconnaissent l'importance de son œuvre.

En 1969, l'une de ses performances les plus scandaleuses, *Grande orgie pour réveiller les morts*, critique du système de l'art, mettait en scène des performeurs nus se baignant dans le bassin du MoMA de New York. À Central Park également, les performeurs de Kusama posaient nus sur la statue d'Alice aux pays des merveilles, le corps peint de pois, portant des masques de Castro, de Jackie Kennedy, de Hubert Humphrey et de tête de cochon. Le motif des pois, omniprésent et obsessionnel dans son œuvre, était comme une marque de reconnaissance apposée sur les corps, comme la glorification de la vie. L'artiste se rappelle en avoir eu la révélation hallucinatoire : « Avec stupéfaction j'ai vu mes mains se couvrir de pois rouges. J'ai essayé de les chasser de mes mains en secouant par la fenêtre tous ces pois et réseaux de lignes rouges, mais en vain, ils continuèrent à proliférer jusqu'à ensevelir mes mains et tout mon corps sous eux. Terrorisée, je me suis mise à crier, j'appelai une ambulance qui me conduisit à l'hôpital Bellevue. Le docteur qui m'ausculta me conseilla d'aller suivre un traitement médical dans un hôpital psychiatrique. »

Les installations à accumulation d'objets relèvent d'un processus d'automédication, intitulé par l'artiste « self-obliteration », qui trouve son salut dans le vide dans lequel son personnage se confond avec l'espace. De retour au Japon dans les années 1970, Kusama choisit de vivre dans un hôpital psychiatrique. Au cours des années 1980 et 1990, elle a créé des installations géantes, des labyrinthes jouant sur la perspective et la perception à travers de complexes jeux de miroirs, des espaces peuplés de sculptures phalliques ou de ballons, noyés dans des univers à pois où le visiteur perd tout repère. Aujourd'hui, Yayoi Kusama inaugure d'importantes expositions personnelles dans le monde. Elle vit dans l'univers de ses installations, vêtue comme la particule qui se fond dans le tout.

En haut, de gauche à droite
Yayoi Kusama, New York, 1969 ; « Fashion show at the boutique », création de Kusama présentée en défilé à New York, 1969 (m et d).

Ci-contre
Andy Warhol. « Altered Image », portrait de Christopher Makos, 1981.

Interview le 19 avril 2001

Vous aimez, dans les performances, la possibilité de confronter vos idées avec un public. Comment le vêtement, le maquillage, les accessoires interviennent-ils dans ce travail ?

Mes vêtements, mon maquillage et mes accessoires des années 1960 étaient totalement différents de ce que les gens portaient à New York à cette époque. Les mannequins (de l'atelier Kusama) se pavanaient sur Broadway, sur la Cinquième Avenue et dans d'autres rues animées avec les vêtements que je dessinais. Avant 1960, New York était une ville sans attraits, à l'atmosphère très conservatrice. J'ai changé cela avec mes concepts de mode, en les présentant dans des journaux et des magazines. Alors New York est devenu un endroit fourmillant d'idées nouvelles.

Le vêtement tel que vous le créez et le portez participe-t-il à une envie de rendre la vie quotidienne moins triste ?

Non. Je n'ai pas créé ou porté ces vêtements pour rendre ma vie moins triste. J'ai dessiné mes modèles d'après les scénarios de happenings et de spectacles d'avant-garde. En 1960, 1967, 1968 et les années suivantes, j'ai créé un grand nombre de robes d'avant-garde, en modifiant les modèles selon les différents thèmes de l'époque donnée, tels que la guerre du Viêt Nam ou l'abolition de la guerre. J'ai également innové dans le domaine de la peinture et exposé avant les autres de nouveaux types de tableaux. Ils ont fait sensation, et je suis devenue la reine de l'avant-garde au centre de New York. Mes tableaux ont également influencé d'autres artistes.

Le côté extravagant de vos tenues ou des costumes de vos performances est-il concu pour « réveiller » les gens, sortir les passants de leurs pensées ennuyeuses ?

Le sexe était considéré comme quelque chose de sale et devait donc être caché, dissimulé. On le tenait aussi pour la source de divers maux. Un jour, en présentant une performance, j'ai entendu deux vieilles dames dans le public dire « oh, c'est horrible ! » en me tournant le dos. Elles n'ont pas pu supporter cette performance sexy.

Comment le vêtement peut-il avoir un sens politique ?

Mes vêtements avaient un sens politique. J'ai fait des robes, des vestes et des pantalons dans le drapeau américain. Les jeunes gens qui marchaient dans les rues ou qui flânaient dans les parcs aimaient ces créations. Aucun d'eux ne s'en est plaint. À cette époque, il y en avait beaucoup, y compris des hippies et des yuppies, à Washington Square dans Greenwich Village, ou sur la Quatorzième Rue, et même des gens d'âge moyen ont pris en marche le train de l'avant-garde. J'ai changé leur mentalité. Ça a été une révolution d'importance historique dans la mode.

Dans la plupart de vos installations, le corps habillé ou peint se confond avec l'espace. Quel est le sens de cette confusion visuelle entre enveloppe spatiale et enveloppe corporelle ?

Je suis une des premières à avoir provoqué un changement de mentalité chez les habitants du centre-ville. Les changements les ont submergés comme d'énormes vagues. L'année 1960 a donc été celle de la révolution dans

Yayoi Kusama.
Dots Obsession New Century (2000).

les esprits. Une révolution historique. Les dames de la haute société ont même assisté aux réceptions en jean (les femmes du clan Kennedy ont opté pour les jeans au lieu de robes de soirée lors des réceptions). Personne n'a froncé les sourcils. J'ai présenté toutes sortes de performances dans des parcs et des salles. J'étais la reine de l'art d'avant-garde.

Vous qui avez été attaquée dans les années 1960 par un certain magazine qui se demandait si ce que vous faisiez était de l'art avez-vous jamais eu peur, en abordant la mode, de transgresser le statut de l'artiste ?

La présentation d'une nouveauté, par exemple d'un nouveau concept, suscitait inévitablement une confusion politique entre les promoteurs et ceux qui ne voulaient pas rester en arrière. Les gens se sont rapidement adaptés aux changements, comme s'ils avaient changé de vêtements selon la saison, et ont contribué à créer une ère nouvelle. L'art existant à cette époque était devenu obsolète. J'ai provoqué des changements radicaux parmi les jeunes Américains par mes déclarations sur la mode. La mode faisait partie de mon art. Mes concepts d'avant-garde ont même été transposés dans des chemises de nuit.

Vos robes n'étaient-elles vraiment conçues que pour des « orgies » ?

Non. Mes robes n'étaient pas conçues que pour des orgies. Elles conviennent à diverses occasions. J'ai été la toute première aux États-Unis à célébrer un mariage homosexuel. La robe de mariée a été reproduite dans plusieurs journaux new-yorkais. Les robes découpées avec une seule manche, les robes roses avec une ouverture devant une jambe ont été un temps très populaires dans le milieu homosexuel.

La nudité complète est-elle plus provocante que la nudité partielle du corps révélé par des vêtements à ouvertures ?

La question n'est pas de savoir si la nudité complète est plus provocante que la nudité partielle. Elle exprime mon message pacifiste. Quant à savoir si la nudité complète est plus provocante, cela dépend du moment ou du jour où elle est montrée, aussi bien que de la personnalité du modèle.

Vous vous faites photographier dans vos installations. Idéalement, aimeriez-vous vivre dedans ?

J'ai réellement vécu dans mes installations (dans mon atelier) à la fin des années 1960. Quand je ne travaillais pas à mes tableaux, j'étais nue, comme lorsque je prenais mes repas. J'aimais être nue, car je me sentais totalement libre, sans rien de gênant sur le corps. J'ai fait une œuvre d'art de tout mon atelier.

Comment vivez-vous les réactions que vos apparitions suscitent en public ?

Les Américains sont plus libres que les Japonais. Je suppose que les bons chrétiens d'un certain âge désapprouvaient mes peintures corporelles et mes happenings nus. J'ai eu de la chance qu'aucun d'eux ne porte plainte contre moi. Les intellectuels et les classes supérieures n'ont pas eu de réaction hystérique, mais ceux qui vont à l'église ont haussé les sourcils devant mes performances artistiques. Il s'agissait de gens à la tête dure, qui n'auraient pas accepté la moindre nouveauté.

Pani Bronia

L'excentrique Andrew Logan organise depuis quelques années un concours de « Miss Monde alternative » à Londres. En 1988, face à Brian Eno, qui faisait partie du jury, défila une vieille dame russe mi-fée, mi-sorcière. Bronislavna Anatolievna Dubner, dite Pani Bronia, remporta le titre d'Alternative Miss World (« miss Monde alternative ») à l'âge de soixante-seize ans. Inconnue la veille, elle devint l'égérie des nuits moscovites underground qui fêtaient chaque année son anniversaire en délire. L'artiste Sacha Petlioura l'avait découverte abandonnée dans un squat. La sauvant de l'asile, il en fit sa muse, la produisit dans des performances, des défilés de mode, exposa ses tableaux peuplés d'étranges mutants et géra son carnet de rendez-vous de star, rempli de soirées, d'émissions de télévision... Habillée de costumes extravagants, de préférence roses, elle avouait avoir été transfigurée par la célébrité. Elle raconta au journaliste Pierre Doze : « Partout j'ai dansé. J'ai joué le rôle du printemps, du petit nuage, de la fille du Père Noël. »

Eva et Adele

Dans les actions-performances du couple d'artistes berlinoises Eva et Adele, le rose est fréquemment utilisé : au volant de leur camping-car, elles parcourent le monde en faisant des apparitions au cours des vernissages et des grandes foires d'art contemporain. Toujours vêtues de tailleurs kitsch, chaussées d'escarpins, maquillées, en permanence sur leur trente et un, elles jouent de leur apparence hermaphrodite. En marge du monde de l'art, le couple interroge le statut de l'artiste et son rôle, et tente de donner une réponse au malaise actuel de la peinture. Le rose fréquemment utilisé dans leurs performances semble être comme le symbole positif et généreux de l'objet de leur œuvre qui, selon Robert Fleck, est l'Amour.

Eva et Adele vivent leur vie exactement comme leurs images le montrent, posant inlassablement avec le sourire devant l'objectif de photographes connus ou anonymes. Entre nature et artifice, elles font sauter la barrière des genres et inventent le « nouveau genre ».

Page de droite
Pani Bronia et son Pygmalion, l'artiste performeur russe Alexandre Petlioura, posent après avoir gagné le concours de Miss Monde alternative en 1988, à Londres.

Double page suivante
Eva & Adele. « Futuring », 1999. Vidéogramme.

L'ART RÉINVENTE LE CORPS

Le body art a produit dans les années 1970 ses actes les plus violents. Marina Abramovic s'est ainsi tailladé le corps avec une lame de rasoir. Auparavant, l'artiste viennois Hermann Nitsch avait créé, en 1957, un « théâtre des orgies et des mystères » où l'on voyait des participants nus couverts du sang d'animaux sacrifiés dans une réinvention des rites dionysiaques : « Mes mises en scène convulsives et brutales ont pour but de raviver l'entendement », disait-il. Le sexe et la mort s'y mêlaient dans la rencontre cathartique d'un rite païen ressuscité. Quant à John Waters, précurseur dans la manipulation d'images fortes et repoussantes, il a commis ses premiers films trash dès 1964. Utilisant le ressort comique de personnages et de situations dégoûtants, il attaquait les conventions sociales à coups de boutoir satirique. Dans le film *Multiple Maniac*, son actrice fétiche, la monstrueuse Divine (alias Harris Glenn Milstead), arrache du haut de ses cent cinquante kilos le cœur de sa fiancée et l'avale ! L'acteur fut arrêté sur le tournage de *Mondo Trash* en 1970 pour atteinte aux bonnes mœurs. Pour le film *Polyester*, John Waters lança l'Odorama, une carte à gratter qui diffusait l'odeur d'une scène : odeur d'essence, de désodorisant... ou de petite culotte de Divine !

La Ve Biennale d'art contemporain de Lyon, en 2000, a présenté une section spécialisée dans le tatouage, qui dorénavant associe cultures anciennes et art contemporain. L'artiste néo-zélandais Greg Semu travaille sur les tatouages de sa culture samoane d'origine. Le Milanais Franko B., au corps entièrement tatoué, s'entaille les mains et baigne dans son sang : « Ce que je fais est une passerelle pour se libérer des carcans moraux, mais c'est aussi un cri d'amour », dit-il à *Paris-Match*.

Leigh Bowery

Dans les années 1980 et 1990, les performances de Leigh Bowery tenaient le milieu entre le cirque, le Grand-Guignol et le film d'horreur. Styliste australien arrivé à Londres en 1980, il refusa le système mercantile de la mode et s'engagea dans la création d'une esthétique aux antipodes des critères de beauté standardisés. Une de ses performances, à Tompkins Square à New York en 1993, commençait niaisement par l'interprétation maladroite sur une guitare mal accordée de *All You Need Is Love* et se terminait, dans des cris féroces, par l'accouchement sanglant d'une femme sortie de son ventre et tombant entre ses jambes. Ce qui saisissait d'effroi l'assistance était

Page de droite
Leigh Bowery, par Fergus Greer, 1993-1994.

pour lui un hymne à la vie ! Un abîme séparait ses métamorphoses monstrueuses de sa timidité naturelle. L'autre lui-même qu'il créait par le maquillage et les costumes lui faisait peur. Il s'en protégeait en instituant une distance, se nommant à la troisième personne. Selon son ami Charles Atlas, cette vie de subterfuge mettait véritablement en relief un sentiment de honte et de vulnérabilité.

En 1985, Tony Gordon l'invita à incarner l'image de son club le *Taboo*, ouvert sur Leicester Square. Sa présence qui magnétisait l'espace en fit le lieu le plus branché de Londres, fréquenté par des stars comme Boy George, qui l'appelait « an art work on two legs » (« une œuvre d'art sur deux jambes »). Par ses tenues délirantes, qui lui valaient parfois d'être arrêté par la police (vêtu par exemple d'un soutien-gorge et d'un postiche de poils pubiens), Leigh Bowery espérait aider les gens à se désinhiber. Le mot d'ordre pour accéder aux soirées du mardi était : « Dress as though your life depends on it, or don't bother ! » (« Habillez-vous comme si votre vie en dépendait, ou bien foutez-vous-en ! ») Il présenta sa première exposition à la galerie d'Anthony d'Offay, qui nota : « He was like a mirror in which others saw their conscious and unconscious thoughts. » (« Il était comme un miroir, dans lequel les autres voyaient se refléter leurs pensées conscientes et inconscientes. ») Les performances en compagnie de son trio Quality Street Wrappers puis du groupe Minty, de plus en plus souvent masquées, jouaient avec la nudité, le vomi, les déjections, la douleur… La poitrine de Leigh Bowery était remontée par du gaffer, ses parties intimes étaient collées à la glu afin de ressembler à un sexe féminin ! Lors de l'exposition de ses portraits peints par Lucian Freud en 1993 au MoMA de New York il connut enfin la reconnaissance du monde artistique, avant de mourir du sida l'année suivante.

Mr Pearl

Collaborateur de Leigh Bowery, Mr Pearl porte le corset comme on adopte une philosophie de vie. Cette pratique dépasse chez lui la simple bizarrerie. Le corset représente à la fois son travail et sa passion, une exigence qui le pousse à des extrémités dignes des performeurs les plus audacieux des années 1970. Après avoir étudié le dessin et la danse, et créé son premier corset en 1985, Mr Pearl est devenu le maître incontesté de cet objet de contention qu'il confectionne à l'ancienne. Les grands couturiers Thierry Mugler, Christian Lacroix ou Jean-Paul Gaultier lui confient le modelage de la silhouette de leurs mannequins.

Comparant le corset à l'architecture, Mr Pearl le justifie selon ce principe : « La construction d'une maison nécessite des fondations. » La performance du corsetier ne s'arrête pas à la centaine d'heures consacrées aux chimères de la mode. Progressivement, par le port de corsets de plus en plus serrés, sa taille s'est réduite à quarante-six centimètres de tour. Cette pratique a des répercussions sur sa vie quotidienne et exige une discipline de fer. L'usage réduit de ses poumons l'oblige à chuchoter, par manque de souffle. Avant chaque rendez-vous, Mr Pearl prévoit une marge de temps suffisante pour pouvoir se déplacer lentement. Il ne peut s'alimenter qu'en très petites quantités, réparties sur la journée. Toute émotion soudaine lui serait fatale…

Dans sa série de portraits photographiques de Pearl, Ali Mahdavi a immortalisé le tracé sinueux de sa silhouette de dandy, qui fait songer à une image virtuelle. Un même questionnement sur l'apparence et cette frontière entre réel et irréel rapproche Ali Mahdavi de son modèle. Dans une série d'autoportraits, l'artiste est contraint par des instruments anatomiques de son invention à prendre des poses directement inspirées des magazines de mode des années cinquante.

Page de gauche
Ali Mahdavi, autoportrait tiré de la série « As you desire me », 2001. Depuis sa série « Lifting »de 1998, Ali Mahdavi s'intéresse à la chirurgie dans ses pratiques esthétiques et cérémonielles : « […] je tente une interrogation sur la volonté de changement d'identité dans ce qu'elle a de plus dramatique et de plus désespérée, puisqu'elle est toujours, à la base, la réponse naïve et touchante à une frustration d'ordre narcissique. »

Double page suivante
Mr Pearl. 1999. Le corset apparaît comme le fantasme absolu du contrôle de l'esprit sur le corps, et ce détachement implicite des choses du monde réel rappelle le mépris des dandys pour la condition humaine.

Dans l'art charnel d'Orlan, la chirurgie plastique est utilisée comme un véritable médium et s'oppose à la chirurgie esthétique en tant qu'instrument de standardisation : « J'ai toujours considéré mon corps de femme, de femme artiste, comme le matériau privilégié de mon œuvre et comme son objet principal. Mes travaux traitent en effet du statut du corps féminin et des pressions sociales qui s'exercent sur lui, ainsi que du problème de l'identité et de l'altérité. » Depuis ses performances comme le fameux *Baiser de l'artiste*, réalisé au Portugal en 1976 et à la Fiac de 1977, ou ses apparitions en « Sainte Orlan couronnée et fleurie sur fond de nuages » de 1982, évoquant la sensuelle *Sainte Thérèse* du Bernin, l'artiste n'a cessé d'utiliser son propre corps comme le matériau de son œuvre. Avec la série des *Opérations chirurgicales*, elle soulève un tollé dans les milieux de l'art contemporain. Le chirurgien, les aides et l'artiste habillée en robe du soir de Paco Rabanne sont photographiés et filmés pendant l'opération. L'artiste, grâce aux bienfaits de l'anesthésie locale, récite des textes et prend la pose, jouissant du spectacle de sa chair soulevée. Dans la septième opération chirurgicale, elle veut « Rire de plaisir en voyant mon corps ouvert », titre de l'œuvre photographique témoignant de la performance à New York en 1993. Il s'agit de réinventer un corps obsolète à l'ère des manipulations génétiques, de faire renaître l'être à une nouvelle identité – ode aux possibilités fabuleuses de la médecine.

Manifeste de l'art charnel

Définition :
L'art charnel est un travail d'autoportrait au sens classique, mais avec des moyens technologiques qui sont ceux de son temps. Il oscille entre défiguration et refiguration. Il s'inscrit dans la chair parce que notre époque commence à en donner la possibilité. Le corps devient un « ready-made modifié », car il n'est plus ce ready-made idéal qu'il suffit de signer.
Distinction :
Contrairement au body art, dont il se distingue, l'art charnel ne désire pas la douleur, ne la recherche pas comme source de purification, ne la conçoit pas comme rédemption. L'art charnel ne s'intéresse pas au résultat plastique final, mais à l'opération chirurgicale-performance et au corps modifié, devenu lieu de débat public.
Athéisme :
En clair, l'art charnel n'est pas l'héritier de la tradition chrétienne, contre laquelle il lutte ! Il pointe sa négation du « corps-plaisir » et met à nu ses lieux d'effondrement face à la découverte scientifique.
L'art charnel n'est pas davantage l'héritier d'une hagiographie traversée de décollations et autres martyres, il ajoute plutôt qu'il n'enlève, augmente les facultés au lieu de les réduire. L'art charnel ne se veut pas automutilant.
L'art charnel transforme le corps en langue et renverse le principe chrétien du verbe qui se fait chair au profit de la chair faite verbe ; seule la voix d'Orlan restera inchangée, l'artiste travaille sur la représentation.
L'art charnel juge anachronique et ridicule le fameux « tu accoucheras dans la douleur », comme Artaud il veut en finir avec le jugement de Dieu. Désormais nous avons la péridurale et de multiples anesthésiants ainsi que les analgésiques. Vive la morphine ! À bas la douleur !
Perception :
Désormais je peux voir mon propre corps ouvert sans en souffrir. Je peux me voir jusqu'au fond des entrailles, nouveau stade du miroir. « Je peux voir le cœur de mon amant, et son dessin splendide n'a rien à voir avec les mièvreries symboliques habituellement dessinées. »
Chérie, j'aime ta rate, j'aime ton foie, j'adore ton pancréas et la ligne de ton fémur m'excite.
Liberté :
L'art charnel affirme la liberté individuelle de l'artiste et en ce sens il lutte aussi contre les a priori, les diktats ; c'est pourquoi il s'inscrit dans le social, dans les médias (où il fait scandale parce qu'il bouscule les idées reçues), et ira jusqu'au judiciaire.
Mise au point :
L'art charnel n'est pas contre la chirurgie esthétique, mais contre les standards qu'elle véhicule et qui s'inscrivent particulièrement dans les chairs féminines, mais aussi masculines. L'art charnel est féministe, c'est nécessaire. L'art charnel s'intéresse à la chirurgie esthétique, mais aussi aux techniques de pointe de la médecine et de la biologie, qui mettent en question le statut du corps et posent des problèmes éthiques.
Style :
L'art charnel aime le baroque et la parodie, le grotesque et les styles laissés pour compte, car l'art charnel s'oppose aux pressions sociales qui s'exercent tant sur le corps humain que sur le corps des œuvres d'art.

L'art charnel est antiformaliste et anticonformiste.

Orlan

Orlan. Masque Pounu Gabon-Congo et visage de femme « euro-parisienne », 2000, 156 x 125 cm. Photographie numérique couleur, tirage papier photographique Picto-Lyon, aide technique au traitement numérique des images Jean-Michel Cambilhon pour « Janviar » de « Janvier », Paris.

Orlan

« Je suis une rock star qui joue à être une rock star. » *David Bowie*

Les arts scéniques

Le star-system a toujours eu recours à des costumes particuliers pour imposer l'aura des vedettes au public. Le monde du spectacle a ainsi encouragé des attitudes excentriques qui, en fascinant la foule, engendrent des mouvements de mode.

L'obligation d'excentricité

Dès l'époque du caf'conc', les « gommeuses » portent des fourreaux couverts de paillettes, inconnus des honnêtes femmes, qui les adopteront dans les années 1920 et 1930 comme robes du soir. Le costume de spectacle favorise aussi symboliquement des prises de position radicales. Qui sait en 1925 que, derrière l'apparition de « l'oiseau des îles échappé des forêts lointaines » de la *Revue nègre* aux Champs-Élysées, se cache une Joséphine Baker décidée à combattre le racisme et les injustices sociales ? L'ancienne « demi-sauvageonne » qui a scandalisé Paris en dansant presque nue, vêtue d'une ceinture de bananes, deviendra une grande artiste du music-hall et triomphera sur la scène du Casino de Paris en 1930. Forte de sa popularité, elle se battra contre le fascisme et élèvera des orphelins de toutes origines dans son château des Milandes, en chantant :

« [...] Si tous les gens d'ici, de là
Si tous les peuples ici-bas
Sans s'occuper de leur couleur
N'avaient qu'un cœur [...] »

En France, parmi les artistes rebelles, il y a Boris Vian puis Serge Gainsbourg, qui, dans la tradition des chanteurs réalistes, gueulent leur désespoir sur scène. Le futur Gainsbarre des années 1980, alcoolique, dégoûtant, provocant en permanence sur les plateaux de télé, en veste portée apparement à même la peau, a pourtant connu des débuts classiques de pianiste de bar dans les années 1950. Selon Arnaud Vivian, une fois devenu compositeur, il n'aurait échappé à la variété qu'en adoptant un phrasé anarchique, une allure sale, lubrique, un look déglingué. Dans un entretien accordé à Christian Fevret en 1989, il dit à propos de son image : « Je voulais l'agression parce que j'avais ce handicap de mon physique. » Le fait que tout semblait authentique dans sa personnalité a forcé le respect le public.

Le danger pour les artistes de la scène est en effet d'être soupçonnés de manipuler le spectateur. L'attitude doit sembler sincère pour convaincre, même si tous savent au

Page de droite
Joséphine Baker en costume de scène inspiré de l'Empire State Building et de la fameuse ceinture de bananes portée par la star à ses débuts. 1934. Photo réalisée à l'occasion des Ziegfield Follies.

Murray
Korman
N.Y.

fond qu'un costume extravagant est une sorte d'uniforme de travail obligatoire dans le rock'n'roll. Les artistes qui ont le plus joué avec le vêtement ont justement été les plus exposés à ces critiques liées à l'authenticité de leurs œuvres. David Bowie, Nina Hagen, Boy George, Madonna, tous ceux qui ont traité sur un pied d'égalité leur image et leur musique, gérant leurs concerts comme un vrai spectacle théâtral, ont été accusés d'être des artistes un peu trafiqués. L'excentricité trop poussée joue comme un masque de duperie qui cacherait une poupée mannequin vide de sens.

Ziggy Stardust, double de Bowie

Entre 1972 et 1976, à travers ses différents avatars de Ziggy Stardust, d'Aladdin Sane, de Thin White Duke, David Bowie a pu être perçu comme une star fabriquée, trop brillante, trop arriviste. Mais une nouvelle esthétique et une nouvelle idéologie du rock allaient naître de cette entreprise. Son attitude a ébranlé les notions de pouvoir et d'autorité, de sexualité et d'identité. Deux éléments de sa biographie soulignés par Mark Paytress éclairent la recherche d'extravagance qui caractérise la carrière du chanteur : une enfance passée dans l'ennui d'une banlieue de Londres et le suicide de son demi-frère, schizophrène. Il a d'ailleurs souligné sa parenté naturelle avec les malades mentaux, « all as sane as me » (« tout aussi sains d'esprit que moi »).

David Bowie a surtout suivi l'enseignement d'un danseur particulièrement original, Lindsay Kemp, élève du mime Marcel Marceau. Aidé par un physique ambigu, il joue avec les notions d'homosexualité, d'androgynie et d'hétérosexualité. C'est la première star à avoir aussi profondément intégré le look comme un élément de la performance. Avec Ziggy Stardust, il s'engage dans le concept novateur d'un art total où costumes, musique et performance scéniques concourent à créer un double qui le protège en rendant mystérieux le vrai Bowie. En juin 1972, la campagne de lancement de l'album *The Rise and Fall of Ziggy Stardust and the Spiders from Mars* affirme clairement : « David Bowie is Ziggy Stardust. » Dans une interview, Bowie se déclare homosexuel. Plus il semble artificiel et mystérieux, plus sa popularité grandit. Cet artiste caméléon préfigurera différentes modes : certains aspects du punk en 1972, ou du style pirate quand, souffrant d'une conjonctivite, il cachera son œil gauche sous un bandeau.

Ci-dessus
David Bowie se maquillant dans sa loge, mai 1973.

Ci-contre
David Bowie sur scène, 1973. Dans *Melody Maker*, il se souvient de l'époque Ziggy Stardust : « I had been bisexual for many years before I made that statement but it was perceived like it was a great gimmick. » (« J'étais bisexuel depuis plusieurs années lorsque j'ai fait cette déclaration, mais cela a été perçu comme un effet d'annonce. »)

Jouer la provocation

La provocation fondée sur l'ambiguïté sexuelle et l'identité réelle dissimulée par le maquillage et les costumes définit également les stars du funk Bootsy Collins et George Clinton. La panoplie funk met toutefois l'accent sur l'ostentatoire, le clinquant, l'effet riche : pantalon moulant à pattes d'éléphant monté sur plate-forme, chemise scintillante à col pelle à tarte, boots en peau de serpent... Issu du look « proxo » apparu dans les ghettos noirs américains, le funk d'origine est celui de macs enrichis qui tiennent à ce que leur réussite se voie.

Ce jeu entre image et réalité, Nina Hagen le maîtrise particulièrement bien. En 1982, elle déclare être « une rock'n'rolleuse, une femme, une mère, et d'autres choses encore qui resteront peut-être toujours secrètes, et tout ce que Dieu a décidé pour moi ». De la diva germanique qui a poussé loin la dérision subversive en parodiant le style cabaret, en se masturbant sur scène, en portant successivement l'uniforme nazi puis celui de la Vierge à l'Enfant, les critiques ne retiennent que la réduction du rock à une série de clichés.

En 1982 George O'Dowd, dit Boy George, déchaîne avec son personnage androgyne et extravagant les sarcasmes de la presse et notamment du *Sun*, qui se demande si « la Chose est mâle ou femelle ». La Chose répond tranquillement : « Je ne cherche pas du tout à m'habiller en femme, j'ai une apparence féminine, voilà tout. » Comme pour David Bowie, l'ambiguïté sexuelle joue en sa faveur et propose une nouvelle manière positive et joyeuse de vivre la crise. Un grand sens de la théâtralité caractérise aussi les entreprises du groupe Siouxsie and the Banshees. Les maquillages outranciers et les costumes fantasmatiques évoquent les films muets par leur charge poétique et étrange.

Chez Elton John, le costume et les effets spéciaux masquent un physique d'une banalité fort éloignée du star-system, qui rappelle le personnage mythique de Liberace, célèbre pour ses tenues à faire pâlir d'envie le soleil lui-même ! Chapeaux délirants, complets multicolores, lunettes grotesques, contorsions et gestuelle d'équilibriste transforment un petit pianiste pâle en un clown génial, un maître ès paillettes et show-biz. Cette maîtrise du spectacle total a aussi contribué à faire de Michael Jackson et de son antithèse Prince des stars de dimension planétaire.

La star islandaise Björk se crée un look unique en adoptant les créations de mode d'avant-garde. Après avoir porté Jean-Paul Gaultier, Martin Margiela, Alexander McQueen, Hussein Chalayan, Comme des Garçons, elle fait découvrir de jeunes stylistes, comme le binôme Alexandre-Matthieu en portant leur robe étoilée au Festival de Cannes en mai 2000.

Marilyn Manson, la star satanique dont on aperçoit rarement le vrai visage, caché derrière un maquillage de film d'épouvante, fait lui aussi du rock un art total. Dans son autobiographie, il raconte : « Quand je me suis mis à rêver de plus en plus souvent à l'Antéchrist, j'ai compris que j'étais son incarnation. Lorsque, enfant, je rêvais que je jouais devant des milliers de personnes, cela paraissait assez improbable. À présent, je ne doute plus de rien. »

En haut à gauche
Les Rita Mitsuko, le 14 janvier 1987.

En haut à droite
George Clinton.

Page de droite
Boy George.

Page suivante à gauche
Nina Hagen, août 1998.

Page suivante à droite
Nina Hagen aux Folies-Bergère, le 6 janvier 1988.

Ci-dessus et page de droite
Quelques décennies séparent ces deux visions du costume de scène : à gauche, Elton John lors de son anniversaire en avril 1997 ; à droite, Liberace, également resplendissant, dans les années soixante.

Page suivante à gauche
Björk.

Page suivante à droite
Björk au Festival de Cannes portant une robe de Marjan Pejoski, avant sa nomination pour le film de Lars Von Trier *Dancer in the Dark*. Mai 2000.

Ci-dessus
Marylin Manson, 1998.

Les rock stars pourraient toutes s'approprier le mot de Klaus Nomi :
« J'utilise ma personne comme un matériau. »

Ci-contre
Klaus Nomi, vers 1980-1981.

Annexes

Bibliographie

- ACKROYD, Peter, *Dressing-up: Travestism and Drag: The History of and Obsession*, Thames and Hudson, 1979, Londres.
- D'AGOULT, Comtesse Marie, sous le pseudonyme de Daniel Stern, *Mémoires, souvenirs et journaux*, Collection Le Temps Retrouvé. Mercure de France, 1990, Paris.
- ALESSANDRINI, Paul et Marjorie, *L'année du rock: 1982-1983, L'année du rock: 1984-1985*, Calmann-Lévy, Paris.
- AMORY, Mark, *Lord Berners: the last eccentric*, Pimlico, 1999, Londres.
- ANDREOLI, Annamaria, *D'annunzio (1863-1938)*, Livre publié à l'occasion de l'exposition du Musée d'Orsay, du 9 avril au 15 juillet 2001. RMN, 2001, Paris.
- BAILEY, Paul, *Stately Homo: A Celebration of the life of Quentin Crisp*, Bantam, 2000, Londres.
- BARBEY D'AUREVILLY, *Du dandysme et de George Brummel*, La Pléiade, tome 2, Gallimard, 1980, Paris.
- BEATON, Cecil, *Cinquante ans d'élégances et d'art de vivre*, Préface de Christian Dior, Amiot-Dumont, 1954, Paris.
- BEATON, Cecil, édité par Dr David Mellor, Catalogue d'exposition à la Barbican Art Gallery / Weidenfeld and Nicolson, 1986, Londres.
- BENAÏM, Laurence, *Marie-Laure de Noailles: la vicomtesse du bizarre*, Grasset & Fasquelle, 2001, Paris.
- BOFFIN, Renée O.R., *Fong Leng: Mode ontwerpster*, édition Kobra, 1982, Amsterdam.
- BOLLON, Patrice, *Morale du Masque*, Le Seuil, 1990, Paris.
- BOLLON, Patrice, *Précis d'extravagance*, éditions du Regard, 1995. Paris.
- BOUCHER, François, *Histoire du costume en occident*, Flammarion, édition revue et augmentée, 1996. Paris.
- BOULENGER, Jacques, *Sous Louis-Philippe: les dandys*, Librairie Paul Ollendorff, s.d., Paris.
- *Burning Man*, Hard Wired, 1997, San Francisco, www.hardwired.com
- CABANNE, Pierre, *Duchamp & Cie*, éditions Pierre Terrail, 1996, Paris.
- CAMUS, Renaud, *Éloge du paraître*. P.O.L., (1ère édition 1995) 2000, Paris.
- *La chanson mondiale depuis 1945*, Dictionnaire Larousse, sous la direction de Yann Plougastel, Larousse-Bordas, 1996, Paris.
- CHÂTEAUBRIAND, René François de, *Mémoires d'Outre-tombe*, Tome IV.
- CHÂTELET, Gilles, *Vivre et penser comme des porcs*, Gallimard-éditions Exils, 1998, Paris.
- CHENOUNE, Farid, *Des Modes et des hommes: deux siècles d'élégance masculine*, Flammarion, 1993, Paris.
- CHERMAYEFF, Catherine, DAVID, Johnathan, RICHARDSON, Nan, *Drag Diarries*, An umbra edition Book, 1995, San Francisco.
- CHOLET, Laurent, *L'insurrection situationniste*, éditions Dagorno, 2000, Paris.
- *Christian Dior: hommage à Christian Dior, 1947-1957*, exposition du 19 mars au 4 octobre 1987, musée des Arts de la mode-Union des Arts décoratifs, 1986, Paris.
- COBLENCE, Françoise, *Le dandysme, obligation d'incertidude*, P.U.F., 1988.
- COHN, Nik, *Anarchie au Royaume-Uni: Mon équipée sauvage dans l'autre Angleterre*, éditions de l'Olivier/Le Seuil, 1999, 2000. Paris.
- COLETTE, *Colette et la Mode*, dessins de Sonia Rykiel, édition Plume-Calmann-Lévy, 1991, Paris.
- *La Comtesse de Castiglione par elle-même*, sous la direction de Pierre APRAXINE et Xavier DEMANGE, Catalogue d'exposition, Musée d'Orsay, 12 octobre 1999 - 25 janvier 2000, RMN, 1999, Paris.
- *Le Corps Mutant*, catalogue d'exposition, Galerie Enrico Navarra, 2000, Paris.
- *Costumes à la cour de Vienne, 1815-1918*, Exposition du musée de la Mode et du Costume-Palais Galliéra, 12 octobre 1995 au 3 mars 1996, édition Paris-Musées, 1995, Paris.
- *1000 Tatoos*, édité par Henk Schiffmacher Burkhard Riemschneider. Taschen, 1996. Köln.
- CUNNINGHAM, Bill, *Facades*, Introduction par Marty Bronson, Fashion Institute of Technology / Penguin books, 1978, New York.
- DECURTIS, Anthony, *Rolling Stones : Images of Rock & Roll*, Rolling Stones Press/Vade Retro, 1995, Paris.
- DESLANDRES, Yvonne et MÜLLER, Florence, *Histoire de la mode au XXe siècle*, Somogy, 1986, Paris.
- ERTÉ, *My life, My art : an Autobiography.*, E.P. Dutton, 1989.
- *Europe 1910-1939: quand l'art habillait le vêtement*, sous la direction de GUILLAUME, Valérie, musée de la Mode et du Costume - Paris-Musées, 1997, Paris.
- *Eva & Adele : close-up & blow-up*, Exposition à la Galerie J. de Noirmont, 24 mars - 18 mai 2000, Galerie Jérôme de Noirmont, 2000, Paris.
- EVA & ADELE, *Logo, Mediaplastic-Wings-Lingerie*, Catalogue d'exposition, Saarland Museum Stiftung Saarländischer Kulturbesitz, Dr. Ernst-Gerhard Güse, Hatje Cantz Verlag, 2000, Ostfildern-Ruit.
- FAVARDIN, Patrick, BOÜEXIÈRE, Laurent, *Le Dandysme, La Manufacture, 1988*, Paris.
- FOUNTAIN, Tim, *Quentin Crisp*, Absolute P, 2000.
- FORTASSIER, Rose, *Les écrivains français et la mode, de Balzac à nos jours*, PUF, 1988, Paris.
- GARCIA, Daniel, *Les années Palace*, Flammarion, 1999, Paris.
- GATÉ André et PAILLET, Paule, *Changer de corps*, Inter Édition, 1980, Paris.
- GÉRAD, Max, *Dali*, Draeger / Le Soleil noir Éditeur, 1968, Paris.
- GIBSON, Robin et ROBERTS, Pam, *Madame Yevonde : Colour, Fantasy and Myth*, Catalogue d'exposition du 19 mai - 8 juin 1990, National Portrait Gallery, 1990, Londres.
- GORMAN, Paul, *The look : adventure in Pop & Rock Fashion*,

pref. Malcolm Mc Laren, Sanctuary Publishing Ltd, 2001, Londres.
• GRAINGER Allan, *I am, photographic celebration of British eccentric*, Dewi Lewis, 2001, Londres.
• GUGGENHEIM, Peggy, *Ma vie, Mes folies*. Plon, 1987, Paris.
• HADEN-GUEST, Anthony, *Studio 54: The Legend*, te Neues, 1997, New York.
• KAMITSIS, Lydia et MÜLLER, Florence, *Le chapeau, une histoire de têtes*, Syros-Alternatives, 1993. Paris.
• LAZELL, Barry, *Punk: an A-Z*, Hamlyn, 1995, Londres.
• *Leigh Bowery*, Ouvrage collectif, Violette Editions, 1998. Londres.
• *Les atours de la reine: Art et Commerce au service de Marie-Antoinette*. Catalogue d'exposition. 26 Février - 14 mai 2001, Centre historique des Archives Nationales, Paris.
• *Le vêtement chez Balzac*: extraits de *la Comédie Humaine*. (texte rassemblés par François Boucher), éditions de l'Institut Français de la Mode, 2001, Paris.
• LEVIER, Daniel, *L'excentricité dans la société britannique: 1668-1832, naissance d'une tradition*, Thèse d'état, Université de Paris VIII.
• LEVILLAIN, Henriette, *L'esprit dandy, de Brummell à Baudelaire (Anthologie*, José Corti, 1991, Paris.
• LIAUT, Jean-Noël, *Les anges du bizarre: un siècle d'excentriques*, Grasset, 2001, Paris.
• LOMBARD, Anne, *Le mouvement hippie aux États-Unis*, Casterman, 1972, Paris.
• MAFFESOLI, Michel. *Au creux des apparences, pour une éthique de l'esthétique*. Le livre de poche, Essais VII, 1975. Paris.
• MAN RAY, Autoportrait, première publication Française: Editions Seghers, 1964, Paris, rééd. Actes Sud, 1998, Paris.
• MANSON, Marilyn & STRAUSS, Neil, *Mémoires de l'enfer*, Denoël, 2000, Paris.
• Martin-Fugier, Anne, *La vie élégante ou la formation du Tout-Paris, 1815 - 1848*. Librairie Arthème Fayard, 1990. Paris.
• MARTIN, Richard, *Fashion and Surrealism*, Rizzoli, 1987.
• METTERNICH, Princesse de Pauline, *Souvenirs (1859-1871)*. Librairie Plon, 1922, Paris.
• *McDermott & McGough: Paintings, Photographs & Time Experiments, 1950*. avec un essai de Robert Catalogue d'exposition, 22 novembre 1997 - 4 janvier 1998, musée d'Art moderne d'Ostende, Rosenblum. Stichting Kunstboek, 1997, Brugges.
• MERCADER, Patricia, *L'illusion transexuelle*, L'Harmattan, 1994. Paris.
• MONTREYNAUD, Florence. *Le XXe siècle des femmes*, Nathan, 1989.
• MUGLER, Thierry, *Thierry Mugler / Fashion Fetish Fantasy*, General Publishing Group, 1998, Los Angeles.
• MÜLLER, Florence. *Art & Mode*. Collection Mémoire de la Mode, édition Assouline, 1999, Paris.
• NOAILLES, Anna de, *Le livre de ma vie*, Mercure de France, 1976. Paris.
• OBERKIRCH, Baronne d', *Mémoires, sur la cour de Louis XVI et la société française avant 1789*, Le Temps Retrouvé, Mercure de France, 1970 et 1989, Paris.
• *« L'Obscénité et la fureur »*, de présentation du film de Julien Temple, sortie en 2000.
• *Orlan, Monographie Multimédia*. CD-Rom, éditions Jériko, 2000, Paris.
• *Orlan: Refiguration Self-Hybridation, série précolombienne*, édition Al Dante, 2001, Paris.
• PAILLET, Paule et GATÉ, André, *Changer de corps*, Inter Edition, 1980, Paris.
• PETIT, Pierre, *Molinier: Une vie d'enfer*, Editions Ramsay/Jean-Jacques Pauvert, 1992. Paris.
• PAYTRESS, Mark et PAFFORD, Steve, *Bowie style*, Omnibus Press, 2000, London.
• PIAGGI, Anna, *Algébre de Mode*, Thames & Hudson, 1998. Londres.
• POIRET, Paul, *En habillant l'époque*, Bernard Grasset, 1930. Paris.
• POISSON, Georges, *Guide des maisons d'hommes célèbres*, Horay, 1991, Paris.
• POLHEMUS, Ted, *Looks d'enfer: des années 40... à l'an 2000, 40 styles de vie flamboyants*, éditions Alternatives, 1995, Paris.
• POLHEMUS, Ted et RANDALL, Housk, *The customized body. Serpent's tail, 1996*, Londres.
• REMAURY, Bruno (sous la direction), *Dictionnaire de la mode au XXe siécle*, éditions du Regard, 1996. Paris
• *Rituel festif*. Catalogue d'exposition du Centre d'artistes et d'exposition Observatoire 4, de Montréal, 30 août-27 septembre 1997. MACANO, 1997. Montréal.
• *Robert de Montesquiou ou l'art de paraître*, catalogue d'exposition, Musée d'Orsay, 12 octobre 1999 - 23 janvier 2000, RMN, 1999. Paris.
• ROBYNS, Gwen, *La vie extraordinaire de Barbara Cartland*, éd. originale, 1984, J'ai lu/Tallandier, 1988, Paris.
• ROLK, Mick, *Blood and Glitter*, Vision On Publishing Ltd, 2001, Londres.
• RUBIN, Jerry, *Do-it*, Le Seuil, 1971, Paris.
• RYERSSON, Scot D. et YACCARINO, *Michael Orlando, Infinite variety: the life and legend of the marchesa Casati.*, Pimlico, 2000, Londres.
• SANGSUE, Daniel, *Le récit excentrique*, José Conti, 1987, Paris.
• SEWALL-RUSKIN, Yvonne, *High on rebellion: Inside the underground at Max's Kansas City*, Thunder's Mouth Press, 1998, New York.
• SITWELL, Edith, *Les excentriques anglais*, d'après le texte original de 1933, éditions Le Promeneur, 1988, pour la traduction française, Gallimard, 1995, Paris,
• *The Sitwells and the Arts of the 1920s and the 1930s, Exposition*, The National Portrait Gallery, 14 octobre 1994 - 22 janvier 1995. Londres.
• SCHIAPARELLI, Elsa, *Shocking Life: souvenirs d'Elsa Schiaparelli*. Editions Denoël, 1954. Paris
• SOLIGNY, Jérôme, *David Bowie, une histoire*. Jacques Grancher éditeur, 1985. Paris.

+ Steele, Valérie, *Fetish : Fashion, Sex and Power*, Oxford University Press, 1996, New York.

+ Steffen, Alfred, *Portrait of a generation: the love parade family book.* Taschen, 1996, Köln, Lisboa, London, New York, Paris, Tokyo.

+ Tilley, Sue, *Leigh Bowery: the life and Times of an icon*, Hodder & Stoughton, 1997, Londres.

+ *Une œuvre de Orlan*, Ouvrage collectif, Editions Muntaner, 1998, Marseille.

+ Vassiliev, Alexandre, *Beauty in exile: the Artists, Models and Nobility Who Fled the Russian Revolution and Influence the World of Fashion.* (Traduit du russe). Harry N. Abrams, Inc., 2000, New York.

+ Vermorel, Fred, *Fashion and Perversity: a life of Vivienne Westwood, and the sixties laid bare*, Bloomsbury, 1996, Londres.

+ *Vivienne Westwood: a London Fashion*, Museum of London, Philip Wilson Publishers, 2000. Londres.

+ Woodrow, Alain, *Tout ce que vousavez toujours voulu savoir sur les anglais...sans jamais oser le demander*, éditions du Félin, 1997. Paris.

+ *The Warhol look: Glamour, Style, Fashion.* Exposition organisée par le Andy Warhol Museum. Première présentation au Whitney Museum of American Art. 8 novembre 1997 - 18 janvier 1998. A Bulfinch Press Book, 1997. New York.

Périodiques

+ *Arena*, été 1995, Homme Plus, n°3, « Drag addicts », Mark Simpson.

+ *Art & Fashion* n°1, juin/juillet/août 2000, « La lesbian and Gay Pride, fête événement de l'été », interview de Franck Delaire par Sylvie Moisy.

+ *Beaux Arts Magazine* n°203, avril 2001, « Art & tatouage », Natacha Wolinski.

+ *Citizen K. International*, oct. 2001, « Ali : beauté sans filet, une esthétique des limites », Christophe Montaucieux.

+ *Citizen K. International*, 1999, « Éternel féminin », Pierre Doze.

+ *Dépêche Mode*, juin 2000, n°139, « God save les excentriques », Muriel Zagha.

+ *D.S.* jan. 2000, n°32, « Kawaï » Michel Temman.

+ *Le Figaro*, 20 sept. 1999, « Le sage succès de la Technoparade», Tanguy Berthemet.

+ *Flash Art International*, Vol. XXVII n°179, nov.-déc. 1994, « Vivienne Westwood, the most beautiful animal », Interview de Vivienne Westwood par Sylvie Fleury.

+ *Les Inrockuptibles*, hors série, 2e trim. 2001, « Gainsbourg ».

+ *Hors Série*: « Punk-Rock, The Rock sound. », éditions Freeway, 2001.

+ *Licences*, n°1, Revue-Disque. 2000-2001, Paris.

+ *Ballade de l'Amour*, Susanne Bartsch, producteur. Magazine de la soirée organisée le 19 octobre 1992 aux Folies Bergères à Paris.

+ *Generation X-centric. V magazine*, n°10, été 2001.

+ *Internet Today*, n°4, oct. 2000, « Les raves ne désemplissent pas !», Clara Frérot.

+ *Le Monde*, 25 juin 1996, « La Lesbian and Gay Pride a mobilisé aux couleurs de l'arc-en-ciel », Jean-Michel Dumay.

+ *Le Monde*, 3 septembre 1997, « Jean Paul II et les "Drag Queens " », Laurent Wajnberg.

+ *Le Monde Télévision*, 18-19 juin 2000, « De jean Louis Bory à la Gay Pride », Thérèse-Marie Deffontaines, « On est passé d'un sujet tabou à un sujet porteur », Francis Cornu.

+ *Libération*, 28-29 Juin 1997, « Le culte des codes corps », Gérard Lefort et Loïc Prigent.

+ *Libération*, 13 juillet 1998, « Berlin : la Love Parade prend l'eau », Lorraine Millot.

+ Libération, 26-27 juin 1999, « La Révolution gay se met en marche », Tim Madesclaire.

+ *Libération*, 30 mars 2000, « L'identité à fleur de peau », David Le Breton. (auteur de « L'Adieu au corps », éd. Anne-Marie Métaillié).

+ Libération, 17-18 fév. 2001, « Grève de la fringue », Christophe Boltanski.

+ *Mixt(e)*, hiver 2000, spécial Mode, n°7, « Magic City : le Bal des Folles », Farid Chenoune.

+ *Mixt(e)* ,printemps 2000, n°9. « Shibuya : les charisma girls, petites muses éphémères de la mode japonaise », Brice Pedroletti.

+ *Nova-Hotguide*, supplément de Nova Magazine, juin 2000, « Psychopathia sexualis : club très initié », Agnès Giard.

+ *Paris Match*, 17 mai 2001, « L'art est-il devenu fou ? » Virginie Luc.

+ *Technikart*, n°32, mai 1999, « Redevenir John Waters », Benjamin Rozovas, et « Dandys 2000 », Patrick Williams.

+ Technikart, n°43, « Homme et Femme mode d'emploi : rencontre du troisième type.», Christophe Vix et Patrick Williams.

+ *Vogue Homme International*, n°17, printemps-été 1993, hors série, « Une grande spécialité anglaise : l'excentrique », John Morgan.

Crédits photographiques

P. 8-9 : coll. part. A. Vassiliev ; p. 10, 13 h et b : © Photothèque Hachette ; p. 14-15 : © Collection Viollet ; p. 17 : © Photothèque Hachette ; p. 19 : © Tate Gallery, Londres ; p. 20 : D.R. ; p. 21 g : © AKG Paris. ; p. 21 d et 22 : coll. part. de l'auteur ; p. 23 : © Collection Viollet ; p. 25 hg et hm : © Photothèque Hachette ; p. 25 hd : © phot. A. Legrand/Technikart ; p. 27 : © Rue des Archives ; p. 28, 29, 30 g : © Photothèque Hachette ; p. 30 d : © Roger-Viollet ; p. 31 : © Photothèque des Musées de la Ville de Paris ; p. 33, 34 hd et bd : © Photothèque Hachette ; p. 34 hg, bg et 35 : coll. part. A. Vassiliev ; p. 36 –37 : © Photothèque Hachette ; p. 38-39 : © coll. part. Alexandre Vassiliev ; p. 40 g et d : © Photothèque Hachette ; p. 41 : © Photothèque Hachette/Man Ray/Adagp, 2001 ; p. 42 : © Coll. part. A. Vassiliev/phot. Rinder. ; p. 43 : © coll. part. A. Vassiliev/phot. Paramount Films ; p. 44 g : © Harlingue-Viollet ; p. 44 d et 45 : © Cat's ; p. 46 et 47 : © Collection Viollet ; p. 48 g : © Rue des Archives. ; p. 48 d : © Gamma/Phot. C. Vioujard ; p. 49 : © Gamma/photo G. Beutter ; p. 51 : © coll. part. Lord of Bath ; p. 52 et 53 : © Gamma/phot. J. Prayer ; p. 55 : © Daily Miror ; p. 56 : coll. part. ; p. 57 : © Rue des Archives ; p. 58 : © coll. part. A. Vassiliev ; p. 61 et 62-63 (tous les doc.) : © Photothèque Hachette ; p. 64 g et d : © Marie Mercié/Phot. B. Lomond ; p. 65 h : © Sygma/phot. T. Graham) ; p. 65 mg et bd : Stills ; p. 65 md : © P. Model ; p. 65 bg (les 2 photos) : © J. Pinturier ; p. 66 : © Stephen Jones ; p. 67 : © col. part. P. Model / phot. Marie Herzog ; p. 68 h : © Stills Press/phot. Godère ; p. 68 b : © Stills Press/phot. I. Hebert ; p. 69 : © Stills Press/phot. Godère ; p. 69 mg : © Phot. S. Vejvoda ; p. 69 bg : © Stills Press/ phot. D. Charriau ; p. 69 bd : © Stills Press/phot. Godère ; p. 70 et 71 : ©Phot. S. Vejvoda ; p. 72 et 73 : © phot. C. Luxereau ; p. 74 : © Stills Press/phot. Godère ; p. 75 : © coll. part. A. Vassiliev ; p. 77 g : © Albin-Guillot-Viollet ; p. 77 d : © Lipnitzki-Viollet ; p. 78–79, 81 h et b : © Photothèque Hachette ; p. 82 : © coll. part. A. Vassiliev ; p. 83 et 85 hg, hd, mg, md et bd : © phot. B. Cunningham ; p. 85 bg : © phot. I. Ionesco ; p. 87 et 88 : © Suzanne Bartsch/réalisation Mathu & Zaldy Production. p. 89 : © phot. R. Moritz ; p. 91h : © Max PPP/Le Parisien/phot. M. de Martignac ; p. 91 b : © Max PPP/Ouest France/phot. D. Ademap ; p. 92 et 93 : D.R. ; p. 94-95 : © Collection Viollet ; p. 96 : Collection Musée National du Château de Compiègne. © Photo RMN-J. G. Berizzi ; p. 99 : Collection Musée National du Château de Compiègne/© Photo RMN-R. G. Ojeda ; p. 100 : Musée d'Orsay, Paris/ © Edimedia ; p. 101 : Bibliothèque Nationale de France. © Edimedia ; p. 102 : © Adagp, Paris, 2001 ; p. 103 : © Man Ray Trust/Adagp, Paris 2001 ; p. 105 : © phot. D. Seymour/Magnum ; p. 106 : © Roger-Viollet ; p. 107 : © Photothèque Hachette ; p. 109 : © Cecil Beaton Photograph/ Courtesy of Sotheby's London ; p. 110 : © Cosmos ; p. 111 : © Phot. S. Bocanegra/ Courtesy Galerie Serge Aboukra ; p. 112 : © Phot. P.-G. Delorme ; p. 113 : © Phot. P.-G. Delorme ; pp. 114 : © phot. J.-B. Mondino ; p. 115 : © phot. M. Testino ; p. 116 g : © Cosmopolitain ; p. 116 d : © coll. part. A. Vassiliev ; p. 117 : © phot. B. Fabiani, p. 119 : © phot. A. Castaldi ; p. 120 : © phot. A. Longeaud ; p. 121 : © phot. J.-B. Mondino ; p. 122 : © coll. part. T. Duchêne ; p. 123 : © phot. L. Choquer, réalisation D. Wulwek/Marie Claire ; p. 125 : © phot. G. Vejvoda ; p. 127 : © phot. T. Diaz/coll. part. marquise Cacciapuoti ; p. 128 et 129 : © Courtesy Toshiko Ohya ; p. 131 : © Archives Ian McCorquodale/Cartland Promotions ; p. 132 g et d : © Photothèque Hachette ; p. 132 m : © Harlingue-Viollet ; p. 132 g et 133 : © collection Viollet ; p. 134 m : © phot. S. Bocanegra/ Courtesy Galerie Serge Aboukra ; p. 134 g et d : © J. Ranc ; p. 135 : © phot. D. LaChapelle ; p. 136 : © coll. part. O. Bombardier/phot. Éric Reddad-Jordy ; p. 138 : © Courtesy Galerie Jousse Entreprise ; p. 139 : © Rue des Archives ; p. 140-141 : © phot. A.-S. Granjon ; p. 142 : © phot. Fergus Greer (fergusgreer.com) ; p. 145 g : © Rue des Archives ; p. 145 d : © McDermott & McGough/Courtesy Galerie Jérôme de Noirmont ; p. 146 : © Man Ray Trust/Adagp. ; p. 147 : © Sygma ; p. 148 : © Collection Première Heure, Saint Cloud ; p. 149 : © Adagp, Paris 2001 /AKG Paris ; p. 151 :© Adagp, Paris 2001 ; p. 153 : © phot. C. Makos (www.makostudio.com) ; p. 155 : © phot. Kusama Studio/Maison de la Culture du Japon à Paris ; p. 157 : © phot. Carolyn Bates & Rose Beddington ; p. 158-159 : © Eva & Adèle/Courtesy Galerie Jérôme de Noirmont, Paris ; p. 161 (tous les doc.) : © Phot. Fergus Greer (fergusgreer.com) ; p. 162, 164 et 165 : © phot. A. Mahdavi/Courtesy Galerie 213/Marion de Beaupré ; p. 167 : © coll. part. Orlan (aide technique au traitement numérique des images : J.-M. Cambilhon pour « Janviar » de « Janvier », Paris) ; p. 169 :© Collection privée L.T. ; p. 170 : ©Starfile/Rock/ Stills Press ; p. 171 : © Starfile/M. Rock/Stills Press ; p. 172 g : © Stills Press ; p. 172 d : © Vinnie Zuffante/Star File/Stills Press ; p. 173 : © Gamma ; p. 174 : © DMI/Allocca/Stills ; p. 175 : © S. Arnal / Stills ; p. 176 : © All Action/Stills ; p. 177 : © V. Zuffante Star File/Stills ; p. 178 : © All Action / L. Wilde / MPA-Stills. ; p. 179 : © MPA-Stills ; p. 180-181 : Phot. K. Westenberg ; p. 183 : © Stills Press.

Index des principaux personnages

Index des principaux mouvements et événements (dans les arts, la mode et la société)

Remerciements

Florence Müller remercie chaleureusement Alexandre Vassiliev, Suzanne Bartsch, Carolyn Bates, Marquess of Bath, Derrick Beckett, Rose Beddington, Björk/One Little Indian, Simon Bocanegra, Odette Bombardier, Nicola Bowery, David Bowie, Boy Georges, Denise Breton, Pierre-Christian et Anoushka Brochet, Pani Bronia, Marquise Cacciapuoti, Sylvie Chataignier, Farid Chenoune, Cosmopolitan, Pierre Criperay, Valérie Cueto, Raphaël Cuir, Bill Cunnigham, Jean-Rémy Daumas, Pierre-Gilles Delorme, Marthe Desmoulins, Jacques Donguy, Pierre Doze, Titus Duchêne, Eva & Adele, Ingrid Friedrichs, John Galliano, Joël Garnier, Laurent Gauwet, Alice de Genlis, Jerry Gischia, Fergus Greer, Anne-Sophie Granjon, Nina Hagen, Irina Ionesco, Jaminaï, Elton John, Stephen Jones, Patricia & Philippe Jousse/Galerie Jousse Entreprise, Sybille Korte, Yayoi Kusama, David LaChapelle, Christine Lahoud, Philippe Laugier, Amanda Lepore, John Lydon, Andrew Logan, Alain Longeaud, Christian Lwousky, Ali Mahdavi, Christopher Makos, Marylin Manson, Ian McCorquodale, McDermott & McGough, Vincent Mc Doom, Benoît Méléard, Marie Mercié, Yogi Mishikawa, Philippe Model, Jean Baptiste Mondino, Dorin Montgomery, Henri Morel, Sylvie Müller, Edith Müller, Jelka Music, Ramesh Nair, Chuck Nanney, Pascal Nozick/Galilée Production, Toshiko Ohya, Orlan, Pearl, Diane Pernet, Alexandre Petlioura, Petros Petropoulos/Galerie Première Heure, Anna Piaggi, Galerie Enrico Navarra, Galerie Pièce Unique, Jacques Pinturier, Jacques Ranc, Bruno Remaury, Michèle et Gilles Rimbault, Rita Mitsouko, Scott Rogers/Barclay, Denise de Saivres, Géraldine Salley, Vilma Sarchi, Antigone Schilling, Jeremy Scott, Tony Sidon, Tom Sutcliffe, Take, Laurent Teboul, Technikart, Ruben et Isabel Toledo, Walter Van Beirendonk, Goran Vejvoda, Srdjan Vejvoda, Vuk Vidor, John Waters, Kevin Westenberg, Jocelyne Wildenstein, Ariel Wizman.

Recherche iconographique
Catherine Stoeblen

Édition
Brigitte Leblanc

Responsable artistique
Sabine Houplain

Conception graphique et mise en pages
Iris de Moüy

Lecture-correction
Catherine Lucchési
Myriam Blanc

Traduction de l'anglais des interviews des pages 50-51, 88-89, 154-155
Chantal Philippe

Photogravure : APS-Chromostyle à Tours
Impression et reliure : Pollina s.a., 85400 Luçon - n° L84452
Dépôt légal : 14359 - octobre 2001
ISBN : 2.84277.349.7
34/1511/4 - 01